Chestnut Hill

Esprit d'équipe

L'auteur

Lauren Brooke a grandi dans un ranch en Virginie et vit à présent en Angleterre, dans le Leicestershire. Elle a su monter à cheval avant même de marcher. Dès l'âge de six ans, elle a régulièrement participé à des concours équestres. Elle fait tous les jours de longues balades à cheval, accompagnée par son mari, vétérinaire spécialiste des chevaux.

Dans la même série :

1. *La rentrée*
2. *Un grand pas*
3. *Un cœur d'or*
4. *Victoire à l'arraché*
Tome 6 à paraître en août 2010

Du même auteur :

La série *Heartland*

Vous avez aimé

Chestnut Hill

Écrivez-nous
pour nous faire partager votre enthousiasme :
Pocket Jeunesse, 12 avenue d'Italie, 75013 Paris.

Par l'auteur de *Heartland*
Lauren Brooke

Chestnut Hill

Amitié, équitation et rivalité

Esprit d'équipe

Traduit de l'anglais par Christine Bouchareine

POCKET JEUNESSE

Titre original :
Chestnut Hill – *The Scheme Team*

La série « Chestnut Hill » a été créée par
Working Partners Ltd., Londres

Chestnut Hill™ est une marque
déposée appartenant à Working Partners Ltd.

À Jonathan, Benjamin et Daniel Chambers,
qui m'ont donné tant de joie.

Avec des remerciements tout particuliers à
Elisabeth Faith

Contribution : Malina Stachurska

Loi n° 49 956 du 16 juillet 1949 sur les publications destinées
à la jeunesse : avril 2010.

ISBN : 978-2-266-20064-6

1

Margaux Walsh prit une profonde inspiration afin d'évacuer le stress qui lui nouait l'estomac. Alors qu'elle se dirigeait vers la carrière d'échauffement, montée sur Morello, elle évita de justesse une fille qui semblait aussi nerveuse qu'elle, en selle sur un gros cheval gris.

Son amie Laurie O'Neil l'attendait devant la barrière sur Tybalt. Elle avait tout d'une pro, avec sa veste bleu roi de l'équipe de Chestnut Hill, sa culotte grise, ses bottes bien cirées et sa bombe en velours qui dissimulait ses longs cheveux bruns. Le pur-sang bai écarquillait les yeux devant l'animation qui régnait autour de lui en ce jour de concours. Une bonne douzaine de cavaliers s'échauffaient sur la piste, trottant et galopant dans tous les sens ou sautant les obstacles.

— Pff! soupira Margaux en caressant l'encolure de Morello. Ça faisait longtemps que je n'avais pas eu un trac pareil!

— Ne m'en parle pas! marmonna Laurie, qui plissait les yeux, éblouie par l'éclat du soleil de la fin février. C'est parce que le concours se déroule chez nous, cette fois-ci. Se produire devant tant de gens qui nous connaissent est plus angoissant.

— Votre analyse me semble tout à fait plausible, docteur Freud.

Elles furent interrompues par des acclamations parvenant de la carrière principale. Elles se retournèrent juste à temps pour voir en sortir une grande fille sur un poney bai assez râblé. La plupart des spectateurs serrés sur les gradins l'applaudissaient poliment, mais ceux qui occupaient la section réservée aux supporters de l'école des Trois Tours se déchaînaient.

— Ben, dis donc... Je me demande pour qui elle monte, plaisanta Margaux.

Laurie mit un doigt sur son menton et fit semblant de réfléchir.

— Hum... attends... Elle porte une veste vert bouteille. Crois-tu qu'elle pourrait appartenir à l'équipe des Trois Tours ?

Margaux sourit : elle n'avait jamais vu autant de spectateurs des autres écoles aux précédentes rencontres.

— D'accord, ils sont bruyants. Mais nos admirateurs sont encore plus nombreux. Tu peux compter sur notre fan-club. Ils vont se déchaîner quand nous aurons écrasé les sept autres équipes.

— Je crois surtout qu'ils sont venus parce qu'ils n'ont rien trouvé de mieux à faire ce premier week-end après la rentrée !

Margaux lui tira la langue :
— Je préfère ma théorie.

— Margaux ! Margaux !

Leurs amies Pauline Harper et Mélanie Hernandez arrivaient en courant. Sans faire partie de l'équipe de saut junior, elles étaient toujours là pour les encourager aux concours.

— Mme Carmichael dit que tu es la suivante, Margaux, annonça Mélanie, hors d'haleine. Tu ferais mieux de te rapprocher.

— Quand faut y aller, faut y aller ! murmura Margaux en reprenant les rênes de son poney pour le diriger vers la piste alors que le concurrent précédent poursuivait sa prestation. Si vous avez un dernier conseil à me donner, c'est le moment !

— Garde Morello bien rassemblé sur la combinaison, lui recommanda Laurie. C'est là que la plupart des cavaliers ont des problèmes. La distance entre les obstacles ne permet pas la moindre erreur.

Mélanie opina :

— Éléonore et Shamrock étaient trop courts, et ils ont mangé le second élément tout à l'heure. Ça a fichu par terre tout le reste de leur parcours.

Margaux frissonna : Éléonore Dixon était la capitaine de l'équipe junior de saut, et son poney avait une réputation d'excellent sauteur.

— C'est vrai ? Je ne les ai pas regardés.

— Alors, ça nous donne quoi comme score ?

Mélanie leva les yeux au ciel.

— Je préfère ne pas répondre. Surtout qu'Olivia et Skylark ont cafouillé, eux aussi.

Margaux se remémora l'air déçu d'Olivia après l'épreuve.

— Oui, eux, je les ai vus. C'était pas terrible… soupira-t-elle.

— Essaie de ne pas y penser, lui conseilla Pauline en repoussant ses longs cheveux blonds derrière son oreille.

— Je sais, je sais. Ce parcours ne devrait pas nous poser de difficulté. Morello et moi, on s'est entraînés à toutes sortes de combinaisons pendant les vacances.

— Tant mieux ! dit Pauline en tapotant l'encolure du poney. Et je suis sûre que ce brave Morello ne se laissera pas impressionner non plus par le nouveau mur !

— Mince ! Je l'avais oublié, celui-là ! Tu ne pouvais pas te taire ?

— Oh, je suis désolée…

— Je rigolais. Crois-moi, je ne pense qu'à lui. Skylark a paniqué devant comme si c'était un monstre dévoreur de poney.

Le mur en question, en fausses briques rouges, était en effet assez imposant. Il ne fallait pas le sous-estimer.

— Hé, Walsh ! Tes bottes sont toutes sales ! s'écria Mélanie. Mme Carmichael va te renier si tu y vas dans cet état. Quelqu'un aurait un chiffon ?

Pauline sortit un morceau de tissu de la poche de son jean et frotta vigoureusement les bottes de son amie.

— Merci, dit Margaux. Vous êtes trop sympa !

— C'est à toi ! Vas-y ! la pressa Mélanie. Montre-leur de quoi tu es capable, Walsh !

2

Tandis que les trois filles s'écartaient pour la laisser passer, Margaux resserra la lanière de sa bombe et inspira à fond.

— On va s'appliquer tous les deux. D'accord, Morello ? fit-elle avant de pousser son poney des jambes.

Le pinto s'élança, prêt à partir au trot, et elle le retint en riant :

— Tu sais ce qui t'attend, on dirait !

Margaux avait beau avoir évolué un nombre incalculable de fois dans cette carrière, elle lui paraissait toujours différente les jours de concours, avec son sol soigneusement ratissé, ses obstacles repeints à neuf, ses jardinières remplies de feuillages et de fleurs. Un obstacle était décoré de courges, un autre de branches de saule blanc, symbolisant l'arrivée du printemps. Tous étaient pimpants, séduisants.

Enfin, tous sauf un…

Malgré elle, le regard de Margaux dévia vers le mur tandis qu'elle pénétrait sur la piste. Annie Carmichael, sa tante, qui dirigeait la section d'équitation de Chestnut Hill, avait annoncé à la fin du trimestre précédent qu'elle ajouterait ce nouvel élément aux obstacles. Le problème, c'est que, à la suite d'un retard d'expédition, il était arrivé seulement la veille au soir… Margaux, qui ne l'avait découvert que le matin, pendant la reconnaissance du parcours, avait été un peu décontenancée par sa largeur et son aspect imposant.

Dès qu'ils s'élancèrent, Margaux oublia tout le reste. Morello, les oreilles tendues en avant, se concentrait déjà sur le premier saut : un simple vertical de deux barres, surmontant une petite jardinière de jonquilles.

Trois, deux, un… Margaux n'eut pas à ajuster sa foulée : le poney trouva tout seul l'endroit parfait pour décoller, et ses sabots bien graissés passèrent plusieurs centimètres au-dessus de la barre supérieure.

La cavalière sourit tandis que Morello esquissait une petite ruade. Elle le poussa du pied, son attention portée déjà sur le vertical suivant. D'habitude, elle appréciait ses petites frasques, mais ce n'était pas le moment, ils devaient rester concentrés.

Morello accéléra légèrement, et ils arrivèrent un peu court sur le deuxième obstacle. Heureusement, le poney, sauteur-né, passa la barre sans la toucher. Quand il se reçut, Margaux s'assit pour exécuter un demi-arrêt et reprendre le contrôle de sa foulée. Morello répondit parfaitement, et ils franchirent les deux suivants sans difficulté, avant de se diriger vers la fameuse combinaison, une paire de verticaux séparés par à peine deux foulées.

Nécessitant de la précision et des qualités athlétiques, ce genre d'obstacle représente toujours un véritable défi. Alors qu'ils s'en approchaient, le conseil de Laurie résonna aux oreilles de Margaux. Cependant elle n'était pas inquiète.

Elle s'était beaucoup entraînée avec Morello sur des combinaisons. Ils avaient eu la carrière de saut de Chestnut Hill à eux tout seuls pendant les deux semaines de vacances. D'habitude, Margaux rentrait chez elle, dans le Connecticut ; mais cette année-là, ses parents étaient partis visiter l'Europe. Et, plutôt que d'aller les rejoindre, elle avait préféré rester avec sa tante.

Elle avait beaucoup apprécié le temps passé en sa compagnie. Elle avait parfois un peu de mal à s'y retrouver entre la tante drôle, telle qu'elle l'avait connue depuis toujours, et la directrice de la section d'équitation de Chestnut Hill, sévère mais juste, qui exigeait de toutes ses élèves, dont Margaux, qu'elles l'appellent Mme Carmichael. Pendant les vacances, elle avait demandé à sa nièce d'aider les palefrenières à entraîner les chevaux et les poneys ; aussi Margaux avait-elle monté quotidiennement cinq ou six poneys, sans oublier Morello, bien sûr. Ce dernier appartenait à sa tante, comme Quince, un magnifique pur-sang croisé. Tous deux avaient rejoint l'écurie de Chestnut Hill quand Annie avait pris ses fonctions au début de l'année scolaire. Margaux ne pouvait rêver mieux : Morello lui allait à la perfection, par sa taille comme par son caractère fougueux.

Estimant la distance qui la séparait du premier élément de la combinaison, Margaux se rendit compte qu'ils arrivaient trop vite. Elle se rassit et, d'une petite tension sur les rênes, demanda un demi-arrêt au poney. Bien entraîné, il s'exécuta aussitôt en rassemblant sa foulée. Puis il réalisa un bond puissant et franc, suivi de deux foulées parfaites avant de s'élancer au-dessus du second obstacle.

— Bon garçon ! cria Margaux en lui tapotant l'encolure. Elle eut l'impression d'enchaîner les sauts suivants en un clin d'œil. Subitement, elle s'aperçut qu'elle galopait vers le mur.

Elle sentit l'angoisse lui serrer l'estomac. « Concentre-toi, se dit-elle. C'est juste un obstacle comme les autres. »

Morello avait toutefois perçu ce bref instant de flottement. Le sentant hésiter et ralentir, elle s'assit pour le stimuler. Pendant une seconde, elle crut que cela ne suffirait pas : à ce rythme, ils allaient atteindre ce mur imposant au milieu d'une foulée, ce qui risquait de conduire à une faute, voire à un refus. Margaux retint son souffle.

Mais Morello connaissait son affaire. Il allongea le pas et, même s'il arriva un peu court devant le mur, il s'élança sans hésitation. Alors qu'ils se réceptionnaient, Margaux savait qu'elle n'entendrait pas le bruit sourd de la dernière rangée de fausses briques tombant sur le sol : ils l'avaient franchie aisément.

Il ne restait plus que deux obstacles, qu'ils passèrent avec facilité, réalisant ainsi le premier sans-faute pour l'équipe junior de Chestnut Hill. Margaux tapota le flanc de Morello pour le féliciter.

Pauline se précipita vers elle dès qu'elle sortit de la carrière.

— C'était génial ! la félicita-t-elle, les yeux brillants. Génial de A à Z !

Margaux lâcha les rênes pour serrer l'encolure de Moreno.

— Merci. Il a été stupéfiant ! J'avoue que je me suis carrément prise pour Beezie Madden, ajouta-t-elle, faisant référence à l'une des plus grandes championnes olympiques de l'équipe de saut américaine. Notre entraînement des vacances a payé.

— Joli parcours ! Bravo, Margaux !

Margaux se retourna et aperçut Éléonore et Olivia en compagnie d'autres élèves, plus âgées, de l'équipe intermédiaire de saut. Leur tour viendrait dès que les épreuves junior seraient terminées. Elle répondit à leur salut par un sourire radieux.

— Merci, les filles !

Tandis qu'elle sautait à terre, Mélanie se précipita pour saisir les rênes de Morello et esquissa une petite révérence.

— Je vous en prie, Beezie. Je serai très honorée de prendre soin de votre monture si vous voulez rester pour voir vos concurrents.

— C'est gentil, mais ça ne m'ennuie pas de m'occuper de lui.

— Ah, non ! Une star comme vous dispose toujours d'une foule de palefreniers pour accomplir ces basses besognes.

Margaux éclata de rire :

— Si tu insistes… Merci, Mélanie.

Elle retira sa bombe et libéra son épaisse chevelure rousse des pinces et du filet qui l'emprisonnaient. Elle glissa cet attirail dans ses poches et se frotta les tempes, sentant venir une migraine. Il était peut-être temps de réclamer à ses parents un casque plus grand et plus confortable.

— Palefrenière, et si tu m'apportais une limonade et des bonbons tant que tu y es ? lança-t-elle à Mélanie qui s'éloignait, menant Morello par la bride.

3

Margaux et Pauline s'accoudèrent à la barrière au moment où la cavalière suivante, aux couleurs marine et blanc de l'école Lindenwood, faisait son entrée sur un poney isabelle assez trapu.

— Beau parcours, Margaux ! chuchota Anaïs Sweet, une élève de l'équipe intermédiaire qui attendait son tour.

Margaux admira une fois de plus sa superbe culotte et ses magnifiques bottes faites sur mesure.

— Merci. C'est surtout Morello qui a été stupéfiant.

— Vous avez été incroyables tous les deux ! intervint Carole, qui appartenait à l'équipe senior.

– – Tu m'étonnes ! ricana sa voisine, Colette Prior, qui n'avait pas été sélectionnée dans l'équipe. C'est la seule de nous à avoir pu s'entraîner pendant les vacances. Quelle bêtise de la part de Mme Carmichael d'organiser ce tournoi interécoles trois jours à peine après la rentrée !

— C'est vrai, quoi ! renchérit Claire Houlder qui, elle aussi, avait été écartée du concours. Après deux semaines passées à me faire bronzer sur les plages du Mexique, je n'avais plus de jambes au cours d'équitation de jeudi. Alors, c'est normal que nos juniors soient aussi nulles !

Margaux fronça les sourcils : Claire ne l'avait-elle pas vu réaliser un sans-faute ?

Justine Jones, une bavarde du dortoir Curie qui appartenait à l'équipe intermédiaire, se joignit à la conversation :

— En plus, le concours se déroule chez nous. Quelle honte ! Mes copines d'Allbrights et des Trois Tours ne vont pas me lâcher si elles nous battent sur notre propre terrain.

— Oui, acquiesça Claire. Dommage que Mme Carmichael n'y ait pas réfléchi avant de choisir cette date.

Exaspérée, Margaux décida de mettre les pieds dans le plat :

— N'importe quoi ! Mme Carmichael n'y est pour rien, le programme a été établi il y a longtemps par la ligue. Ils n'ont pas dû remarquer que nos vacances de février tombaient juste avant. Et puis, vous saviez très bien que le concours aurait lieu dès notre retour. Vous n'aviez qu'à vous entraîner un peu !

Les filles se tournèrent vers elle, interloquées.

— Non, Mme Carmichael n'avait qu'à protester dès qu'elle a vu les dates, insista Claire. Surtout que la ligue a intérêt à ce que toutes les équipes obtiennent de bons résultats.

Margaux ouvrit la bouche pour riposter, et la referma en sentant le coude de Pauline s'enfoncer dans ses côtes.

— Arrête, lui glissa son amie, elles ont besoin de se défouler avant l'épreuve parce qu'elles ont le trac.

— Quel trac ? marmonna Margaux avec un regard

assassin vers les râleuses qui s'éloignaient en discutant. Claire et Colette ne montent même pas aujourd'hui !

— N'empêche que ça ne vaut pas le coup de te mettre dans cet état. Laisse courir.

Margaux leva les yeux au ciel : à son avis, Pauline avait un peu trop tendance à « laisser courir ». Elle se tourna vers la piste pour se changer les idées. La nervosité de la cavalière de Lindenwood avait cédé la place à une belle détermination. Elle franchit les derniers obstacles, y compris le mur, sans une seule faute.

— C'est au tour d'Audrey ! s'écria Justine. Si elle ne remonte pas le score de Chestnut Hill, je ne vois pas qui le fera.

Margaux serra les dents : « Et mon sans-faute, il compte pour du beurre ? »

Audrey, sa snobinarde de compagne de chambre, criait sur les toits qu'elle était douée dans tout ce qu'elle entreprenait, qu'il s'agisse d'études ou de sport. Elle se vantait sans cesse de ses succès auprès des garçons, de sa richesse, de sa beauté. Margaux l'aurait volontiers étranglée. Elle devait pourtant reconnaître qu'Audrey était une excellente cavalière et qu'elle formait un couple exceptionnel avec Bluegrass, son rouan bleu, qui s'était déjà distingué dans de nombreux concours sur la côte Est.

Sa camarade entra sur la piste coiffée d'une bombe dernier cri, ses luxueuses bottes lustrées à la perfection. Bluegrass avait fière allure : Audrey et Patty, son amie, l'avaient brossé et tressé comme si sa vie en dépendait.

Ils effectuèrent les premiers sauts avec une facilité déconcertante. Margaux avait beau scruter le moindre de leurs mouvements, elle ne vit aucun ajustement lorsqu'ils abordèrent la combinaison. Bluegrass s'envola littéralement au-dessus du premier obstacle, ses sabots avant bien levés, et franchit le second avec autant d'aisance et de calme, comme s'il s'agissait d'un simple croisillon. Les sauts suivants ne lui posèrent pas plus de difficulté.

Margaux s'aperçut qu'elle retenait son souffle tandis qu'ils approchaient du mur. Bluegrass leva la tête et dressa les oreilles en apercevant cet obstacle qu'il ne connaissait pas.

— Allez ! l'encouragea Audrey.

Il réagit en sautant plus de quinze centimètres au-dessus du mur.

— Bravo, Audrey ! hurla Claire, qui se mit à applaudir bien que le parcours ne fût pas terminé.

D'autres spectateurs l'imitèrent et Margaux vit un sourire s'étaler sur le visage d'Audrey tandis qu'elle se tournait vers l'avant-dernier obstacle, un simple oxer.

— Ouille, ouille, ouille ! murmura Margaux en constatant que la foulée du poney s'était aplatie.

Le sourire d'Audrey s'évanouit ; elle tira sur les rênes pour ajuster le pas de sa monture.

Trop tard ! Bluegrass voulut s'élancer alors qu'il était mal placé. Il souleva les deux antérieurs du sol, mais vacilla sur le côté, dérapa et refusa l'obstacle.

— Waouh ! C'est la première fois que je le vois se dérober ! murmura Margaux.

Audrey donna un méchant coup de cravache sur la croupe de son poney. Il sauta sur place, les narines dilatées.

— Pauvre Bluegrass ! murmura Pauline.

Margaux approuva d'un hochement de tête.

— C'est la faute d'Audrey s'il a refusé l'obstacle. Elle a eu de la chance qu'il ait la bonne idée de s'arrêter avant de le percuter.

Pendant ce temps, Audrey faisait exécuter une boucle à son poney pour le représenter devant l'oxer. Bluegrass ne réussit pas à se stabiliser et prit son élan trop tôt : ses postérieurs accrochèrent la barre, qui tomba.

— Oh, non ! gémit Justine. Ça fait quatre points de pénalité ! Ça, plus le refus…

Pauline secoua la tête avec tristesse :

— Elle avait fait un si beau parcours !

— Elle était trop confiante, conclut Margaux, très déçue par ce mauvais score qui allait peser sur les résultats de son équipe, même si, intérieurement, elle éprouvait une petite pointe de satisfaction de voir Miss Perfection échouer, pour une fois. Chaque obstacle compte, continua-t-elle, Mme Carmichael n'arrête pas de nous le répéter. On doit toujours rester concentrées, même sur ceux qui semblent faciles.

Elle regarda Bluegrass survoler le dernier avec son brio habituel. Audrey se dirigea vers la sortie, la mine renfrognée. Elle sauta de selle dès qu'elle eut franchi la porte et partit à grands pas vers l'écurie en tirant son poney derrière elle. Margaux secoua la tête, peinée pour Bluegrass : elle aurait pu au moins lui donner une petite tape amicale.

À cet instant, Mélanie apparut à côté d'elle.

— Hé, je crois que j'ai manqué quelque chose !

— Tiens, tu es déjà là ? s'étonna Margaux. Où est Morello ? Ne me dis pas que tu as fini de le panser !

— Non, j'ai trouvé une remplaçante. Comme je ne voulais pas rater le tour de Laurie, Émilie m'a proposé de finir de le promener et de le passer au jet.

Margaux hocha la tête. Émilie Page était une élève de cinquième qui prenait parfois Morello en cours débutant. Étant sa cavalière attitrée, Margaux n'aimait pas trop sa façon de le monter, mais elle était sûre qu'Émilie saurait bien s'occuper de lui et veiller à ce qu'il récupère.

— Super ! Moi aussi, je veux voir Laurie. J'espère que Tybalt ne pètera pas les plombs à la vue du parcours, ajouta-t-elle en croisant les doigts.

Tybalt n'était arrivé à Chestnut Hill qu'à la fin du premier trimestre. On ne connaissait pas son histoire, mais il semblait traumatisé et se montrait beaucoup plus nerveux que les autres chevaux de l'école. En bref, il détestait tout ce qui était nouveau. Laurie, particulièrement douée pour comprendre les chevaux, travaillait avec lui depuis deux mois, et il lui faisait de plus en plus confiance. Mais dans l'ambiance survoltée d'un concours, personne ne se faisait d'illusions, il risquait à tout instant d'oublier ce qu'elle lui avait appris.

— Surtout avec ce maudit mur ! renchérit Pauline. Enfin, s'il y en a une qui peut en tirer quelque chose, c'est bien Laurie.

4

Quand Laurie et Tybalt pénétrèrent sur la piste, le poney tressaillit en découvrant les fanions de la ligne de départ. Laurie, imperturbable, le dirigea vers le vertical avec sa douceur habituelle. Il franchit les premiers obstacles comme s'il n'avait fait que cela toute sa vie. Lorsqu'il se trouva devant le nouveau mur, il fit cependant un net écart, visiblement apeuré. Sans se laisser impressionner, Laurie le poussa en avant. Il effectua un saut trop long et trop haut, mais se réceptionna avec aisance et ils finirent le parcours sans aucune pénalité, réalisant ainsi le second sans-faute de la journée pour Chestnut Hill.

Mélanie poussa un hurlement de joie.

— C'était fabuleux ! Venez, on va les attendre à la sortie ! ajouta-t-elle en attrapant Margaux d'une main et Pauline de l'autre.

Elles se faufilèrent à travers la foule et arrivèrent à la porte au moment où Laurie quittait la piste. Margaux la suivit en courant tandis qu'elle emmenait Tybalt loin de la cohue.

— Tu as été géniale !

— Merci, répondit Laurie d'une voix essoufflée avant de sauter à terre et de caresser tendrement Tybalt. Vous avez vu comme il a assuré ? J'avais peur qu'il ne panique devant le mur, mais il s'en est super bien tiré. Je suis fière de lui !

Margaux sourit : Laurie, qui n'était guère bavarde en temps normal, devenait intarissable dès qu'il était question de chevaux, et en particulier de Tybalt.

— Et nous, on est fières de toi ! s'exclama Mélanie en la serrant dans ses bras. Viens, on va le promener un peu. Il l'a bien mérité !

— Excellente idée, acquiesça Margaux. Allons-y… Non, attendez ! Et Caleb ? Il doit passer bientôt. Je parie que tu aimerais l'encourager, Laurie.

Margaux ne manquait jamais une occasion de parler de Caleb devant Laurie. Celle-ci avait fait sa connaissance au club hippique près de chez elle, l'été précédant son arrivée à Chestnut Hill. Bon cavalier, il était en quatrième à Saint Christopher, l'école de garçons voisine, mieux connue sous le nom de St Kits. Tous les deux, ils adoraient les chevaux ; c'était une des raisons pour lesquelles ils allaient très bien ensemble. Au début, Laurie avait prétendu que c'était juste un copain. Après quelques sorties le week-end et plusieurs rencontres aux soirées des deux écoles, elle avait fini par reconnaître qu'ils se plaisaient, à la grande joie de Margaux, pour qui ils représentaient le couple parfait.

Laurie rougit en voyant Mélanie et Pauline échanger un sourire entendu.

— Je ne sais pas… Il faut d'abord que je m'occupe de Tybalt.

Elle avait beau dire, Margaux était sûre que son amie rêvait d'assister au parcours de Caleb. Et elle ne supportait pas que des obstacles se dressent entre les amoureux !

— J'ai une super idée. Tybalt peut se promener ici aussi bien qu'ailleurs. En plus, ça lui permettra de s'habituer à l'agitation qui accompagne les concours.

Mélanie éclata de rire :

— Tu es un génie, Margaux ! Donne-moi la selle. Je cours la ranger, et je rapporte sa couverture séchante.

C'était la solution idéale. Les quatre amies firent marcher Tybalt dans les allées entourant la piste le temps qu'une cavalière des Trois Tours et une de l'école Allbrights passent leur épreuve.

Le tour de Caleb arriva enfin. C'était le dernier concurrent de la journée. Il avait fière allure dans sa veste d'équitation sombre ornée de l'écusson doré de Saint Christopher. Et son cheval, Pageant's Pride, Gent pour les intimes, n'avait rien à lui envier.

Leur performance fut à la hauteur de leur allure : ils exécutèrent avec élégance un sans-faute parfait. Gent ne cilla même pas à la vue du mur, qu'il survola allègrement.

— Waouh ! C'était grandiose ! s'exclama Mélanie, en regardant les coéquipiers de Caleb en délire l'assaillir à la sortie de la piste.

Pauline hocha la tête :

— L'équipe de St Kits s'est drôlement distinguée aujourd'hui !

— Ne remue pas le couteau dans la plaie ! gémit Margaux.

Je crains l'annonce des résultats… Allons plutôt féliciter Caleb.

Elle leur fraya à grand-peine un passage dans la foule de garçons de St Kits surexcités. Elles arrivèrent devant lui au moment où il mettait pied à terre.

— Salut ! lâcha-t-il, encore essoufflé par la course.

Il retira sa bombe et s'ébouriffa les cheveux.

— Vous étiez superbes, tous les deux ! le félicita Margaux. N'est-ce pas, Laurie ?

— Oui, vraiment, murmura Laurie, la voix vibrant de sincérité.

— Merci, dit Caleb.

Margaux sourit : Caleb, tout en s'adressant à elles deux, n'avait d'yeux que pour Laurie.

Elle fut tirée de ses réflexions par le crachotement des haut-parleurs.

— Votre attention, s'il vous plaît ! demanda Mme Carmichael. Voici les résultats du concours de saut junior. Il a été remporté par…

Margaux retint son souffle. « D'accord, notre équipe n'a pas fait d'étincelles aujourd'hui, mais nous avons quand même réussi chacune un sans-faute, Laurie et moi. Et Audrey ne s'en est pas si mal tirée non plus ; alors peut-être qu'avec un peu de chance… »

— … Saint Christopher, annonça Mme Carmichael.

Margaux laissa échapper un soupir tandis que Caleb, fou de joie, brandissait un poing victorieux et se retournait vers ses copains pour leur taper dans les mains.

— Génial ! On a gagné !

— À la deuxième place, continua Mme Carmichael,

nous avons l'équipe Alice Allbrights. Et à la troisième, l'école qui a l'honneur de vous recevoir aujourd'hui, Chestnut Hill.

— Mince ! gémit Margaux tandis que Mme Carmichael donnait le reste du classement. Ce n'est déjà pas la gloire, d'arriver troisième alors que ça se passe chez nous, mais se faire doubler par Allbrights, c'est le comble ! On n'a pas fini de les entendre !

— Et nous ? plaisanta Caleb en desserrant la sangle de Gent. Ça ne te dérange pas qu'on vous ait battues ?

— Si, mais moins qu'elles. Vous êtes des garçons, alors ce n'est pas pareil.

Elle jeta un regard vers les vans de l'équipe d'Allbrights. Toutes les cavalières étaient rassemblées autour d'Elizabeth Mitchell, leur directrice d'équitation, qui avait occupé cette fonction à Chestnut Hill jusqu'à ce qu'Allbrights la débauche en lui proposant des conditions plus intéressantes, l'année précédente.

— En quelques mois, Mlle Mitchell a fait un excellent travail, commenta Caleb. Il n'y a aucune honte à se faire battre par son équipe.

— Parle pour toi, marmonna Margaux.

— Il a raison, la troisième place, ce n'est pas si mal, déclara Laurie, philosophe. On ne pourra que faire mieux la prochaine fois.

— Exactement ! acquiesça Pauline. Surtout que vous avez de quoi être fières, Margaux et toi. Vous avez été fantastiques !

— Vous savez peut-être que nous avons décidé d'attribuer une récompense spéciale au meilleur cavalier dans chaque catégorie, poursuivait Mme Carmichael. Et avant que la compétition du niveau intermédiaire ne commence, j'ai le grand plaisir de vous annoncer que les huit directeurs d'équitation ici présents viennent d'élire à l'unanimité, en catégorie junior, Caleb Smith, de Saint Christopher !

— Bravo, Caleb ! hurla Margaux.

Laurie se jeta spontanément au cou du garçon. Margaux haussa les sourcils, amusée par cette démonstration en public, si inattendue de sa part. Soudain, Laurie se rendit compte que tout le monde la regardait et recula d'un bond sous les sifflets des copains de Caleb.

— Euh... félicitations, bredouilla-t-elle, rouge comme une tomate.

— Merci, répondit-il, aussi écarlate qu'elle. Bon, eh bien, je vais m'occuper de Gent, ajouta-t-il avec un sourire timide. À plus tard !

— Je suis trop contente pour Caleb, déclara Mélanie, tandis qu'elles repartaient à leur tour vers l'écurie. Il était temps qu'on reconnaisse ses talents. Je ne compte pas, bien sûr, le titre de garçon qui embrasse le mieux du monde, décerné par Laurie.

— Arrête ! protesta cette dernière. Nous ne sommes même pas sortis ens...

Elle se tut brusquement, comprenant après coup que Mélanie la faisait marcher.

Margaux échangeait un sourire amusé avec Pauline lorsqu'une voix stridente les fit sursauter.

— Dommage que ce ne soit pas une fille de Chestnut Hill qui ait gagné le titre de meilleure cavalière junior !

Enfin, ce n'est pas avec leur prestation d'aujourd'hui qu'elles risquaient d'y arriver…

Margaux chercha des yeux celle qui avait parlé, mais elle n'eut que le temps d'entrevoir une chevelure blonde, aussitôt masquée par la foule.

« Qu'est-ce qu'elle voulait dire ? se demanda-t-elle. On a très bien monté, Laurie et moi ! »

Elle haussa les épaules : ce concours était bien trop intéressant pour qu'elle se laisse gâcher le plaisir par des rabat-joie. Sa déception concernant leur classement s'était dissipée, et elle était impatiente d'encourager les équipes intermédiaire et senior.

— Venez ! Allons vite panser nos poneys pour revenir voir la suite du spectacle !

5

Dès qu'elle arriva à l'écurie, Margaux se précipita au box de Morello, situé au fond, derrière la sellerie.

— Je pense qu'il a bien récupéré, annonça Émilie, qui était en train de retirer sa couverture séchante. Je l'ai promené et l'ai laissé un peu brouter.

— Parfait ! Merci de t'être occupée de lui, Émilie. Je te revaudrai ça.

— Ben... tu n'auras qu'à me remplacer la prochaine fois que je serai de corvée dc ncttoyage, gloussa la jeune fille avant de repartir.

— Marché conclu !

Margaux entra dans la stalle. Morello, qui mangeait son foin, dressa les oreilles en entendant le froissement familier du sac de carottes apporté par sa cavalière.

— Tu as sauté comme un champion, aujourd'hui ! le félicita-t-elle en lui en donnant un morceau. Tu m'as épatée !

Tandis qu'il croquait sa friandise préférée, Margaux l'examina rapidement et vérifia ses sabots. Émilie avait bien travaillé : il était impeccable. Elle lui fit une dernière caresse et lui tendit un autre bout de carotte ; puis elle alla jeter un coup d'œil dans l'allée.

Quelques box plus loin, Pauline gratouillait le front d'une magnifique ponette grise qui avait passé la tête par-dessus son portillon.

— Je suis sûre que Minnie aurait aimé participer au concours, dit-elle.

Cette pouliche distinguée, qui s'appelait en réalité Moonlight Minuet, appartenait à Patty Duval, une piètre cavalière du cours débutant. Margaux et ses amies avaient été très surprises en apprenant que son père lui avait acheté un poney d'une telle valeur. Hélas, bien que Minnie fût adorable et parfaitement dressée, Patty n'avait pas le niveau pour la monter. Impatiente de la faire progresser, son amie et idole Audrey avait imposé à la ponette une séance d'entraînement trop longue sur du sable mouillé. Résultat, Minnie s'était retrouvée avec une tendinite.

Dès cet instant, Patty s'était totalement désintéressée d'elle. Le père de Patty, auteur célèbre et fortuné, avait accepté de laisser Minnie comme poney d'école à Chestnut Hill, le temps que Patty décide si elle voulait la garder. Et Pauline, qui avait eu le coup de foudre pour Minnie à la seconde même où son regard s'était posé sur elle, s'en était tendrement occupée : pendant des semaines, elle était venue bander ses jambes douloureuses, puis elle lui avait fait peu à peu reprendre les promenades.

Laurie sortit à son tour la tête du box de Tybalt :

— C'est encore un peu tôt ! D'après Mme Carmichael, ses tendons sont guéris, mais elle vient à peine de recommencer l'entraînement.

— C'est vrai, répondit Margaux. Cela dit, j'ai vu Sarah et Julie la faire travailler à la longe pendant les vacances. Elle a une foulée longue et régulière. Ce doit être incroyable de la monter !

Elles se retournèrent en entendant un claquement de sabots à l'autre bout de l'écurie. Justine Jones ramenait Foxy Lady, sa petite ponette croisée arabe.

— Alors ? Comment ça s'est passé ? demanda Margaux.

— Elle a refusé le premier obstacle, et ensuite elle l'a renversé, soupira Justine. Et elle a fait demi-tour devant ce mur débile !

— Je suis désolée.

Margaux contempla la ponette en sueur : elle semblait épuisée. Justine était bonne cavalière, mais un peu trop nerveuse pour Foxy, très sensible.

Justine haussa les épaules et disparut dans le box de lavage avec le poney, apparemment pas d'humeur à poursuivre cette conversation.

Margaux partit rejoindre Mélanie, qui venait de rentrer dans la stalle de Colorado, son cheval préféré. Comme elle, ce poney isabelle plein de fougue se défendait aussi bien en monte anglaise qu'en monte western.

— On ferait mieux de se dépêcher, remarqua Margaux. J'ai l'impression qu'on rate des choses intéressantes !

— On y va ! lança Mélanie en tapotant une dernière fois l'encolure de Colorado.

Les quatre filles arrivèrent à la piste à temps pour voir Peggy Rivers, une élève de troisième, réaliser un sans-faute sur sa jument personnelle, une croisée appaloosa alezane rouannée répondant au doux nom de Rosie. Hélas, ce fut le seul bon résultat de l'équipe intermédiaire de Chestnut Hill. Julie Watt et Anaïs firent tomber de nombreuses barres. Quant à la monture de Sophie Chatterton, Gandalf, un hongre bai pourtant connu pour son flegme, il se fit éliminer en refusant trois fois le mur. La dernière cavalière de l'équipe intermédiaire quitta ainsi la piste au milieu d'un silence consterné des supporters de Chestnut Hill.

Margaux poussa un profond soupir et se tourna vers ses amies. Elle s'apprêtait à suggérer un repli stratégique vers la buvette pour fuir l'ambiance tendue des gradins, et pour faire le plein de friandises lorsqu'une voix retentit derrière elle.

— Eh bien, moi, ça ne m'étonne pas ! Mme Carmichael n'aurait jamais dû mettre ce mur aujourd'hui. Nos chevaux n'ont pas eu le temps de s'y habituer. Pourquoi est-ce que personne ne les a entraînés pendant les vacances ?

Margaux regarda par-dessus son épaule et vit Claire Houlder, qui fulminait.

— Il paraît qu'il vient juste d'arriver, alors ils n'ont pas eu le temps, expliqua Julia.

Claire leva les yeux au ciel :

— Dans ce cas, il ne fallait pas l'installer aujourd'hui ! Quand j'étais capitaine de l'équipe intermédiaire, l'an dernier, Mlle Mitchell nous entraînait sur toutes sortes d'obstacles possibles et imaginables. Du coup, on était super bien préparées, et on ne se ridiculisait pas comme celles qui concourent aujourd'hui.

— Tu étais capitaine de l'équipe intermédiaire, l'an dernier ? fit Margaux, étonnée. Alors, pourquoi tu ne fais pas partie de l'équipe senior, cette année ?

Claire la fusilla du regard, l'air outrée : une petite de

cinquième n'avait pas à se joindre à la conversation des grandes.

— Eh bien, peut-être que si Mme Carmichael m'avait laissée continuer à monter Snapdragon, au lieu de me flanquer sur Sancha, deux semaines à peine avant la sélection…

Elle laissa sa phrase en suspens, lourde de sous-entendus, et se retourna vers Julia pour reprendre leur conversation.

— De toute façon, on a commis une grosse erreur en se séparant d'une directrice d'équitation aussi talentueuse et expérimentée ! cracha-t-elle. Y a qu'à voir les progrès des filles d'Allbrights depuis que Mlle Mitchell les a prises en main !

Margaux n'avait pas oublié les rumeurs qui avaient couru dans l'écurie concernant son changement de monture. Claire montait Snapdragon depuis son arrivée à Chestnut Hill, en cinquième. Cependant, en quatre ans, elle s'était étoffée et avait beaucoup grandi. Dès son arrivée, Mme Carmichael lui avait attribué Sancha, un robuste quarter horse d'un mètre soixante-quatre.

— Ouais, tu as raison, Claire, ricana-t-elle. Je suis sûre que la géniale Mlle Mitchell t'aurait laissée sur Snapdragon. Comme ça, ce n'est pas lui qui aurait renversé les obstacles, mais toi, avec tes pieds qui traîneraient par terre…

Laurie la fit taire d'un coup de coude dans les côtes.

— Hé ! Les commissaires installent le parcours des seniors. Viens, on va les aider !

Margaux saisit la perche que son amie lui tendait.

— Je te suis ! répondit-elle, ignorant Claire qui lui lançait un regard noir.

6

— Waouh ! Il est excellent ! s'exclama Margaux, les yeux rivés sur le concurrent de Lindenwood qui montait un pur-sang alezan à la ligne élancée.

Les quatre amies, appuyées à la barrière, ne perdaient pas une miette du spectacle. Les équipes junior et intermédiaire s'étaient rassemblées presque au complet à cet endroit pour regarder évoluer les élèves de première et de terminale. Au grand dam de Margaux, il y avait aussi les Trois C, comme on surnommait Claire et ses inséparables amies, Colette et Chloé.

— Chut ! Ça va être le tour de Carole sur Snapdragon, lança Julia.

— Oh, oh ! murmura Pauline en contemplant le couple qui s'approchait de la piste : Snapdragon sautillait comme un cheval à la parade tandis que Carole essayait en vain de lui faire franchir l'entrée. Ils sont aussi nerveux l'un que l'autre.

— Ne me dis pas qu'il panique devant la porte ! ricana

Audrey, debout un peu plus loin en compagnie de Patty, qui semblait s'ennuyer à mourir. Il la voit tous les jours !

— Il ressent le trac de Carole, déclara Laurie, qui observait avec attention la concurrente et son cheval. Vous voyez comme il couche les oreilles en arrière ? Il écoute sa cavalière pour savoir s'il y a un danger dont il doit se méfier.

Margaux se sentit une fois de plus impressionnée par les connaissances de son amie en comportement équin. Cependant, en cet instant précis, elle voulait surtout que Chestnut Hill remonte le score médiocre des plus jeunes.

— Allez, Carole ! cria-t-elle. Tu peux le faire !

— Dans tes rêves ! rétorqua Claire, qui se trouvait de l'autre côté de Laurie. Snapdragon saute fabuleusement bien, mais à condition d'avoir une bonne cavalière. Et avec Carole, j'ai des doutes, ajouta-t-elle en échangeant une grimace avec Colette. Elle est trop raide en concours…

Margaux cligna des yeux, surprise par la méchanceté de sa remarque. Elle croyait que Claire et Carole étaient amies.

— Bonjour l'esprit d'équipe ! explosa-t-elle, prise d'un besoin soudain de défendre Carole à sa place. Tu pourrais au moins faire semblant de souhaiter qu'ils réussissent !

— Calme-toi, lui glissa Pauline.

En temps normal, les grandes supportaient mal les critiques venant des plus jeunes et le leur faisaient payer très cher. Or, là, Claire fit juste une moue méprisante.

— Reviens sur terre, Margaux ! Je suis réaliste. Mais c'est un concept sans doute un peu compliqué pour une gamine de ton âge.

Margaux s'apprêtait à répliquer vertement qu'elle se

demandait laquelle était la moins mature des deux lorsque Laurie la tira par le bras.

— Elle commence, annonça-t-elle avec un geste du menton vers la piste.

Carole venait de mettre Snapdragon au galop. Le hongre gris partit du mauvais pied, secoua la tête et arqua le dos. Carole, jusque-là pâle comme un linge, s'empourpra subitement. Elle lui donna un petit coup de cravache, et il bondit en avant, les oreilles tendues.

— Elle n'a pas vu qu'elle était à faux, remarqua Mélanie.

Margaux hocha la tête en se mordillant la lèvre. Le poney était visiblement gêné.

— Snap est un pro. Il ferait ce parcours sans cavalier s'il le fallait.

— Tu peux croire ce que tu veux, Margaux, mais ce poney n'est pas aussi facile qu'on aurait pu croire quand je le montais, moi, riposta Claire.

— Tu exagères, Claire, intervint Julia. Snap était déjà un excellent cheval de concours avant d'arriver ici. Et Carole s'est toujours bien débrouillée avec lui.

Le fracas d'une pièce de bois tombant sur le sol les interrompit. Margaux tressaillit en constatant que Snapdragon avait accroché les deux barres supérieures du premier obstacle.

— Ah bon ? ricana Claire. C'est ça que tu appelles bien se débrouiller ?

Comme pour lui donner raison, les sabots de Snapdragon heurtèrent la barre de l'obstacle suivant et la firent chuter. Margaux ferma les yeux, pleine de compassion pour

Carole. Elle était passée par là ; elle aussi, il lui était arrivé de faire un parcours désastreux du début à la fin.

Carole et Snapdragon réussirent néanmoins à poursuivre l'épreuve sans commettre d'autres fautes. Mais quand le poney vit le mur, ce fut la panique. Il fit un écart brutal, et Carole faillit être désarçonnée. Elle se regroupa très vite et ramena sa monture sur l'obstacle.

À la seconde tentative, Snapdragon se déroba encore. Carole voulut le présenter de nouveau devant le mur. En vain ! Le poney avait décidé qu'il ne s'en approcherait pas et, cette fois, il pila net et se permit même une petite ruade pour bien marquer son refus.

— Ils sont éliminés ! déclara Claire alors que Carole s'affaissait sur sa selle et laissait Snapdragon repartir vers la sortie.

— Tu n'es pas forcée de pavoiser ! riposta Margaux. Si tu connais si bien Snapdragon, tu ferais mieux de faire profiter Carole de ton expérience.

— Pourquoi je l'aiderais ? Si elle a été assez bonne pour être sélectionnée, elle devrait parvenir à le comprendre toute seule. Moi, personne ne m'a aidée, et ça ne m'a pas empêchée de remporter plein de récompenses avec lui.

— Et modeste, avec ça ! marmonna Margaux.

— Chut ! fit Pauline. Laisse tomber. Elle n'a toujours pas digéré de ne pas avoir été prise dans l'équipe cette année.

Margaux hocha la tête et oublia cet accrochage : Flore Chapelin et Mischief Maker entraient sur la piste. Flore, la cocapitaine de l'équipe, était sa cavalière senior favorite.

— Waouh ! s'exclama-t-elle, admirant la robe alezane

et les sabots noirs bien lustrés de Mischief. On sent que ça ne plaisante pas, avec ces deux-là !

Flore, tranquillement assise sur sa selle, la position parfaite, le regard droit devant elle, mena Mischief au galop vers le premier obstacle. Margaux retint son souffle tandis que le hongre s'élançait à la vitesse idéale, remontait les genoux presque sous son menton et franchissait la barrière avec facilité.

— Super ! Ils sont incroy...

Elle faillit s'étrangler en voyant le cheval vaciller au moment où il reprenait contact avec le sol. Il rejeta la tête en arrière, changea aussitôt de pied et galopa à faux quelques foulées.

— Qu'est-ce qui se passe ? s'écria Pauline.

— Je ne sais pas, murmura Laurie, les mains crispées sur la barrière. On dirait qu'il s'est fait mal à la réception.

Margaux regarda, la gorge nouée, Flore s'écarter du parcours et ralentir sa monture. Chaque fois qu'il posait sa jambe antérieure gauche, il secouait la tête de haut en bas, les narines dilatées.

— Ça a l'air grave, souffla Mélanie. Lui qui était si fringant il y a une minute à peine ! Qu'est-ce qui a pu lui arriver ?

Flore arrêta Mischief et sauta à terre. Elle le conduisit hors de la carrière et partit vers l'écurie, le visage marqué par l'angoisse.

— Venez ! dit Margaux, incapable de rester là alors que l'un de ses chevaux favoris s'était blessé. Allons voir ce qu'en pense le vétérinaire.

7

Margaux trouva le reste de l'après-midi très long. L'accident de Mischief Maker lui avait gâché la journée. Quand la compétition senior se termina enfin, prise d'une migraine épouvantable, elle regagna sa chambre, à bout de forces.

Le dortoir Adams était en ébullition : ses camarades se préparaient pour la traditionnelle soirée qui suivait le concours. Cette fois, elle ne partageait pas leur enthousiasme.

« Reprends-toi ! » se gronda-t-elle alors qu'elle se séchait les cheveux. Mais son mal de crâne l'empêchait de partager la gaieté générale. Et le vrombissement de son séchoir qui résonnait dans sa tête n'arrangeait rien. Elle l'arrêta.

— Quelqu'un aurait de l'aspirine ? demanda-t-elle à ses amies, qui s'étaient toutes réunies dans sa chambre.

— Pourquoi ? Tu t'es grillé le cerveau ? plaisanta Mélanie. Je t'avais pourtant prévenue d'éviter la position « croustillant ».

Pauline éclata de rire.

— Mme Herson doit avoir ce qu'il faut. Tu as très mal ?

— Non, juste un peu, répondit Margaux, refusant

comme toujours d'admettre la moindre faiblesse. Rien de grave. Pas question que je rate une soirée pareille ! C'est vrai, quoi ! On n'a pas souvent l'occasion de recevoir des garçons. D'ailleurs, s'il y a quelqu'un que tu as envie de retrouver, Laurie, ce sera le moment ou jamais, ajouta-t-elle avec un petit sourire taquin.

— Oh, tais-toi ! gloussa Laurie.

— Quel dommage que Josh ne fasse pas partie de l'équipe de saut ! lança Mélanie avec un clin d'œil à Margaux.

Josh était le meilleur ami de Caleb. Lui et Pauline avaient fait connaissance lors d'une excursion du samedi à Cheney Falls, la petite ville voisine, et l'amitié née entre eux à cette occasion semblait évoluer vers une relation plus tendre.

— Ça, c'est vraiment nul ! acquiesça Margaux. Sinon, Pauline aurait eu quelqu'un à qui faire la conversation, elle aussi. Il ne lui reste plus qu'à patienter jusqu'au bal du Printemps à St Kits. Encore quinze jours à attendre ! C'est sûr que dans ces conditions, vous allez avoir du mal à ravir à Laurie et Caleb le titre de couple le plus mignon de toute la Virginie, Pauline. Enfin, vous pourrez toujours essayer…

— De la Virginie ? Tu rigoles, Margaux ! Ce sont les amoureux les plus craquants de tous les États-Unis ! rectifia Mélanie en se mettant du mascara sur les cils.

— Oh, excuse-moi ! N'empêche qu'à mon avis, avec un peu d'effort, Pauline et Josh pourraient menacer leur titre au bal du Printemps.

— Vous voulez bien arrêter, les filles ? murmura Pauline, rouge comme une tomate. On ferait mieux de se dépêcher, sinon la soirée sera terminée quand on arrivera.

— Partez devant ! dit Margaux. Je passe chez Mlle Herson prendre de l'aspirine.

Quand elle arriva à la cafétéria un quart d'heure plus tard, la salle était bondée. Les élèves, massés autour de l'immense buffet dressé au fond discutaient avec animation.

Margaux croisa d'abord Patty, à l'entrée, en grande conversation avec un petit brun de Lindenwood.

— Belle prestation, aujourd'hui, Margaux ! lui lança l'amie d'Audrey.

Margaux fut tellement surprise par cette remarque agréable, si peu du style de cette pimbêche, qu'elle s'arrêta net. Jamais Patty ne lui avait fait le moindre compliment : elles s'étaient prises en grippe dès la seconde semaine de cours.

— Oh… merci ! répondit-elle, aussitôt sur ses gardes.

Le cavalier de Lindenwood la regarda avec attention :

— Hé, mais c'est toi qui montais le pinto, non ? Il est excellent, ce poney ! Je l'avais déjà remarqué au précédent championnat interécoles.

Margaux sourit en se demandant pourquoi ce garçon, visiblement intelligent et perspicace, perdait son temps avec Patty.

— Il s'appelle Morello. Il appartient à Mme Carmichael, qui le fait travailler pour l'école.

— … et qui le réserve à certaines élèves seulement, enchaîna Patty avec un petit sourire entendu en secouant ses cheveux soyeux coupés au carré. Margaux a oublié de te préciser qu'elle était la nièce de notre directrice d'équitation. Ce qui explique pourquoi elle a droit au meilleur poney de l'école et à un entraînement spécial pendant les vacances.

« Ah, voilà qui ressemble plus à la Patty que je connais ! » songea Margaux.

— Eh bien, nous n'avons pas toutes un papa fortuné pour nous acheter une fabuleuse ponette qu'on ne monte même pas, rétorqua-t-elle d'un ton désinvolte, pressée de s'en aller : l'effet de l'aspirine ne se faisait pas encore sentir, et elle n'avait pas envie de se prendre la tête. À plus tard. Oh ! Et merci d'être si gentil avec notre camarade ! ajouta-t-elle à l'intention de son compagnon. On te revaudra ça !

Elle se mêla à la foule tandis que Patty, vexée, poussait un grognement qui se perdit dans le brouhaha.

— Ah, te voilà ! l'accueillit Mélanie lorsqu'elle eut rejoint ses amies au buffet. Tu as tout raté ! Nous venons d'espionner l'équipe d'Allbrights. Figure-toi que ces idiotes, au lieu de s'amuser, préfèrent discuter des conseils que Mlle Mitchell leur a donnés pour faire mieux la prochaine fois.

— Faire mieux ? répéta Margaux. Mais… qu'est-ce qu'elles veulent de plus ? Leur équipe s'est déjà classée deux fois deuxième et une fois première, non ?

Mélanie haussa les épaules :

— Elles pensent sans doute pouvoir encore s'améliorer.

— Dites, ce ne serait pas Claire, là-bas ? demanda Margaux en plissant les yeux. Avec qui est-elle ?

Le groupe se tourna dans la direction qu'elle indiquait.

— Je parie qu'elle est encore en train de prétendre que les mauvais résultats de cet après-midi annoncent la dégringolade de Chestnut Hill.

— J'étais derrière elle, au buffet, et elle clamait qu'à la place de Flore elle en voudrait à mort à Mme Carmichael pour la blessure de Mischief, une contusion de la sole, d'après elle. Il se serait blessé à la réception sur un caillou.

— Mais Mme Carmichael n'y est pour rien ! protesta Margaux, les mains sur les hanches. Elle a fait ratisser la carrière deux fois pendant les vacances.

— Je sais, acquiesça Laurie légèrement sur la défensive. C'est à Claire qu'il faut le dire.

Si Margaux ne s'était pas sentie aussi mal, elle serait allée tout de suite trouver Claire pour mettre les choses au point. En plus, elle venait de repérer Caleb, qui arrivait en compagnie de deux de ses coéquipiers.

— Ah, ah ! lança-t-elle avec un grand sourire. Voilà le héros du jour ! Le meilleur cavalier junior de toute la ligue !

— Merci ! Merci ! répondit-il avec une petite révérence.

Il leur présenta ses copains, Eddie et Philippe.

— Super bonne, la bouffe ici ! déclara Eddie, un petit rouquin nerveux qui tenait une assiette remplie à ras bord. On peut dire que vous avez le sens de l'hospitalité à Chestnut Hill !

— Et vous ne montez pas mal non plus, enchérit Philippe, un grand brun au visage sérieux et sympathique. Vous avez fait toutes les deux une très bonne prestation. Les autres n'ont pas eu de chance, mais je suis sûr qu'il faudra se méfier de vous, la prochaine fois.

— Ce qui ne nous empêchera pas de gagner quand même, déclara Caleb.

Laurie lui pinça le bras en riant :

— Pas si sûr ! Attends que notre parcours de cross soit construit, et tu vas voir.

Margaux constata avec plaisir que Laurie se sentait

désormais assez à l'aise avec Caleb pour le taquiner. Sans cette douleur qui lui martelait le crâne, elle se serait volontiers jointe à cet échange de plaisanteries.

— Saleté de migraine ! marmonna-t-elle.

— Qu'est-ce que tu dis ? demanda Philippe.

— Rien, répondit-elle avec un petit sourire forcé, bien décidée à ne pas se laisser aller. Alors, c'est toi qui montais ce superbe appaloosa ?

— Oui, et c'est plus précisément un pur-sang croisé appaloosa. Il s'appelle Boute-en-train.

— Ça lui va bien ! s'esclaffa Margaux. On ne doit pas s'ennuyer avec lui !

Elle resta quelques minutes à bavarder avec Philippe et Eddie. Ils s'intéressaient de très près au futur parcours de cross, un sujet qui la passionnait. Elle avait cependant l'impression de répondre à côté des questions. Puis quelqu'un baissa les lumières, et la piste de danse s'anima. En temps normal, Margaux était la première à s'y précipiter, mais ce soir, elle n'en avait aucune envie. Elle qui avait déjà du mal à parler se retrouva sans voix au bout de quelques minutes passées à essayer de se faire entendre par-dessus la musique.

— Écoute, je crois que je vais rentrer, dit-elle à Mélanie qui sautillait sur un air de hip-hop.

— Déjà ? Il n'est que sept heures et demie !

— Je sais, mais cette journée m'a achevée. Dis bonsoir de ma part à Caleb et aux autres, d'accord ?

Sans attendre la réponse de son amie, elle quitta la salle, soudain tellement exténuée qu'elle se demanda si elle arriverait à traverser le campus et à monter l'escalier du dortoir.

8

Le lendemain matin, Margaux se réveilla avec des frissons, le nez bouché et un mal de ventre.

— Flûte ! gémit-elle d'une voix enrouée lorsque Pauline la dévisagea avec inquiétude. Je croyais que c'était juste la pression du concours qui m'avait collé la migraine, mais ça doit être plus grave que ça.

— Ne bouge pas. Je vais chercher Mme Herson.

Margaux s'assit péniblement.

— Non, ça va passer, murmura-t-elle. J'ai juste besoin d'un bon petit déjeuner pour me remettre l'estomac en place et m'éclaircir les idées.

— Pas question ! protesta Pauline d'une voix ferme en nouant la ceinture de son peignoir. Je vais la prévenir tout de suite.

Elle s'enfuit de la chambre sans lui laisser le temps de réagir.

Margaux se laissa retomber sur son oreiller et essaya de fermer la bouche : impossible de respirer ! Elle aurait voulu se moucher, mais elle ne se sentait même pas la force de se lever pour aller prendre des mouchoirs en papier dans sa commode.

À cet instant, Audrey revint de la salle de bains. Bien qu'on fût dimanche, elle portait déjà son slim favori et son pull à capuche en cachemire vert. Elle fit la grimace :

— Qu'est-ce qui t'arrive ? Tu as une mine de déterrée !

— Merci. Toi aussi, répondit Margaux avant d'être interrompue par une quinte de toux.

Audrey fit un bond en arrière comme si elle craignait de recevoir des postillons sur sa jolie tenue.

— Beurk ! Je m'en vais. Essaie de ne pas cracher sur mon lit pendant mon absence, d'accord ?

Margaux ferma les yeux. Quand elle les rouvrit, Mme Herson, la surveillante du dortoir Adams, l'examinait d'un air préoccupé.

— Tu avais raison, Pauline, dit la jeune femme en posant la main sur son front brûlant. Il faut qu'elle reste couchée. Tâche de te rendormir, Margaux. Je reviendrai te voir après le petit déjeuner.

Margaux n'eut pas la force de protester. Elle bascula de nouveau dans le sommeil avant que Pauline et Mme Herson n'aient quitté la pièce.

Elle se réveilla en sursaut un peu plus tard, déjà moins fatiguée. Son réveil indiquait midi passé. En entendant du bruit venant du placard près de la fenêtre, elle comprit qu'elle avait été tirée de sa torpeur par l'arrivée d'Audrey. Elle toussa et Audrey se retourna vers elle.

— Oh, tu ne dors plus. Tu es toujours malade ?

— Non, je m'entraîne pour ma prochaine audition, répondit-elle d'une voix rauque en retenant une nouvelle quinte. Je dois jouer une victime de la peste bubonique. Tu crois que je décrocherai le rôle ?

Audrey leva les yeux au ciel :

— Blagues stupides, cheveux gras… tu me sembles pourtant dans ton état normal. Enfin, normal, en parlant de toi, c'est un bien grand mot.

Margaux en était à calculer si, à cette distance, elle pouvait projeter ses miasmes jusqu'à Audrey lorsque Pauline, Mélanie et Laurie firent irruption dans la chambre.

— Margaux ! s'écria Mélanie. Tu es encore en vie ! Et consciente, en plus !

Margaux sourit, se sentant beaucoup mieux.

— Qu'est-ce que vous croyez ! Racontez-moi vite tout ce que j'ai raté !

— Pas grand-chose, souffla Pauline en se laissant tomber sur son lit. Nous revenons de l'écurie.

— Et ne t'inquiète pas, enchaîna Mélanie, nous avons fait un gros câlin à Morello de ta part.

— C'est gentil ! fit Margaux avant d'éternuer dans un mouchoir et de se renfoncer dans son oreiller. Alors, comment vont les chevaux, aujourd'hui ? Et Mischief Maker ?

— Il boite toujours. Flore le garde au box ; elle a très peur qu'il ne fasse un abcès. En fait, elle craint surtout de ne pas pouvoir le remonter d'ici la fin de l'année scolaire. Mais, si tout se passe bien, il ne manquera qu'un ou deux concours.

— Ouf ! Je n'ose même pas évaluer nos chances de gagner sans eux !

— Après le fiasco d'hier, ce serait une cata, l'approuva

Mélanie avec une grimace. J'ai d'ailleurs entendu Mme Carmichael annoncer qu'on allait travailler dur.

— On verra bien ! lâcha Pauline. Comment tu te sens, Margaux ? Ça va mieux ?

— Je déteste être malade. Vraiment ! J'ai toujours l'impression qu'il se passe des tas de trucs intéressants pendant que je suis clouée au lit à cracher mes poumons.

Laurie lui adressa un sourire compatissant :

— Quand je suis malade à la maison, mon père m'apporte une clochette pour pouvoir m'entendre du magasin si j'ai besoin de quelque chose. C'est comme si j'avais un serviteur personnel.

— Laissez-moi passer ! grommela Audrey en écartant Mélanie et Laurie. Contrairement à vous, j'ai autre chose à faire que traîner dans cette infirmerie improvisée.

— Comme aller panser Bluegrass avec un soin particulier, après l'effort qu'il a fourni hier, peut-être ? rétorqua Mélanie. Julie m'a dit qu'elle ne t'avait pas vue de la journée.

— De quoi je me mêle ? riposta Audrey avant de disparaître dans le couloir.

— Bon, reprit Margaux, ravie d'être débarrassée d'elle, pour en revenir à ton histoire de clochette, l'idée me plaît beaucoup. Si vous m'en trouvez une, je pourrai veiller à ce que vous respectiez mon programme : cookies et limonade à deux heures, un petit récapitulatif des ragots du jour à deux heures et demie, suivi par un massage des pieds par Laurie à trois heures, conclut-elle en sortant de sous les draps un pied nu, dont elle agita les orteils.

Mélanie plissa le nez.

— Les cookies et la limonade, peut-être, mais pour le massage, tu rêves !

— En plus, on n'a pas de cloche ! souligna Laurie en claquant des doigts. Quel dommage ! En revanche, je vais voir ce qu'il y a au distributeur comme gâteries.

Elle revint quelques minutes plus tard avec plusieurs petits sachets de chips et autres amuse-gueules, que les quatre amies grignotèrent en bavardant. Margaux y toucha à peine, mais elle se considéra satisfaite : ces plans pour l'après-midi avaient été suivis à la lettre… au massage près.

Lorsque Mme Herson revint prendre de ses nouvelles, elle se sentait mieux moralement, mais elle était épuisée.

— Tu as encore de la fièvre, constata Mme Herson en lui mettant la main sur le front.

— Ma mère aurait dit qu'il me faut juste une bonne nuit de sommeil, murmura Margaux, pressée de se retrouver seule. Je suis sûre que ça ira bien demain.

Elle n'avait plus qu'une envie : dormir.

9

Le lundi matin, Margaux émergea du sommeil avec l'impression d'avoir la tête dans du coton et la gorge râpée au papier de verre. Elle se crut aussi affligée d'un étrange bourdonnement dans les oreilles avant de reconnaître la sonnerie du réveil d'Audrey. Sa compagne de chambre était partie à la salle de bains en oubliant de le désactiver.

Pauline s'assit dans son lit et se frotta les yeux :

— Quelle heure est-il ? demanda-t-elle.

— Eurgh !

Cette réponse suffit à la réveiller complètement. Elle se pencha vers Margaux, qui était allongée sur le dos, le regard fixé sur le plafond.

— Comment te sens-tu ? Ça va mieux ?

Margaux ouvrit les paupières ; cela lui demanda un tel effort qu'elle n'avait même plus la force de parler.

— Arrête ce truc ! coassa-t-elle en levant péniblement une main vers le lit d'Audrey avant de la laisser retomber sur les draps.

Pauline repoussa ses longs cheveux blonds de son visage et courut éteindre le réveil. Puis elle revint examiner son amie.

— Tu as une sale mine. Je retourne chercher Mme Herson.

Une demi-heure plus tard, Margaux contemplait le plafond bleu de l'infirmerie, surnommée la Suite présidentielle par les internes, qui se trouvait au rez-de-chaussée du dortoir Adams, près de l'appartement de Mme Herson. C'était là qu'on envoyait les élèves trop malades pour assister aux cours. Quand un virus sévissait sur le campus, on pouvait y loger jusqu'à six filles dans des lits séparés par des rideaux. Comme Margaux était seule ce jour-là, les rideaux étaient repliés contre le mur, laissant la pièce dégagée, ce qui accentuait son impression de solitude.

— J'aurais pu rester dans ma chambre, marmonna-t-elle tandis que la surveillante s'affairait autour d'elle, baissant le store et tapotant sa couette.

— Ne dis pas de bêtises. Tu ne voudrais pas transmettre tes microbes à tes amies, n'est-ce pas ?

Margaux songea qu'en effet Pauline ne méritait pas de se retrouver aussi mal qu'elle. Quant à Audrey... Elle s'endormit en pensant à cette éventualité tentante.

— Surprise !

Margaux regardait un documentaire passionnant sur la culture du blé lorsque ses trois meilleures amies poussèrent la porte de la Suite présidentielle, en fin d'après-midi. Elle saisit aussitôt la télécommande et coupa la télé.

— Entrez vite ! J'ai un besoin urgent de présence humaine ! s'écria-t-elle d'une voix rocailleuse.

— Comment s'est passée ta journée ? demanda Mélanie en s'appuyant à la commode.

— Si tu veux tout savoir, on ne reçoit pas le câble ici. Faut-il en dire plus ? Alors, qu'est-ce que j'ai loupé aujourd'hui ?

Mélanie se laissa tomber au bout de son lit.

— Tu as beaucoup manqué à Mme Dubois. Elle n'avait personne à persécuter. Et quand nous avons dit au Dr Duffy que tu étais malade, il n'a pas voulu le croire. Tu sais que tu as raté le contrôle de SVT ?

Margaux sourit avec malice : elle détestait le français et la SVT.

— Comme quoi, il y a quelques avantages à être clouée au lit... Peut-être que je devrais en profiter pour réviser un peu et me faire aider par un as en la matière, ajouta-t-elle avec un regard appuyé vers Mélanie, la matheuse du groupe.

Elle fut interrompue par une nouvelle quinte de toux.

— Et le cours d'équitation ? reprit-elle, la voix plus enrouée que jamais.

— C'était génial ! s'exclama Pauline. Mme Carmichael m'a annoncé qu'elle allait me faire monter Minnie !

— Et tu sais quoi ? continua Mélanie. Elle lui a même proposé de lui donner un cours particulier, samedi.

— Ce sera une bonne manière de remettre Minuet au travail en douceur, commenta Laurie.

— Qu'est-ce que tu dois être contente, Pauline ! fit Margaux. Depuis le temps que tu attendais ça...

— Oui, mais j'ai un peu le trac.

— Pourquoi ? Tu t'en sortiras très bien : Minnie t'adore. Et tu es bien meilleure cavalière que Patty, même sans étriers. Qu'est-ce qu'il y a eu d'autre ?

— Mme Carmichael nous a fait faire un nouvel exercice de coordination, dit Mélanie. Un truc bizarre. Elle a installé une double ligne de petits obstacles qu'elle nous a demandé de franchir deux par deux en veillant à rester synchronisées.

— Amusant ! commenta Margaux, le cœur serré d'avoir raté cet entraînement intéressant. Comment vous vous en êtes sorties ?

Pauline éclata de rire :

— Mélanie a fait équipe avec Audrey. C'était rigolo ! Elle trouve déjà qu'aucun cheval n'arrive à la cheville de Bluegrass, alors, un poney western, tu imagines sa tête !

— Ah, ça oui, tout à fait !

— Ouais, mais on lui a donné une bonne leçon avec Colorado, s'écria Mélanie, les yeux brillants. On est restés à la hauteur de Bluegrass même quand il a brusquement allongé sa foulée après le deuxième obstacle. Je suis sûre qu'Audrey l'a fait exprès pour nous larguer !

— Ça ne m'étonnerait pas d'elle. Elle serait prête à déstabiliser Bluegrass rien que pour le plaisir de te planter !

— En tout cas, c'était intéressant, déclara Mélanie. Mme Carmichael ne nous corrigeait que lorsque nous ne restions pas en rythme avec notre partenaire.

Margaux se tourna vers Laurie, qui n'avait encore rien dit.

— Comment s'est comporté Tybalt ?

Laurie haussa les épaules :

— Pas trop mal. Je n'étais pas sûre qu'il soit prêt pour ce

genre d'exercice, mais Mme Carmichael a insisté pour qu'on le fasse. Il s'est un peu énervé et il a accéléré en voyant l'autre poney si près.

— Et tu l'as parfaitement retenu, lui assura Mélanie. Si tu l'avais vue, Margaux ! Tybalt a fait sa petite ruade à la fin, et Laurie est restée collée à la selle !

Alors qu'elles parlèrent ainsi des chevaux et des cours, Margaux sentit ses forces faiblir. Ses amies racontaient la dernière ânerie que Patty avait sortie en cours de math quand elle étouffa un bâillement.

— On ferait peut-être mieux de te laisser te reposer, dit Laurie, à qui cela n'avait pas échappé.

— Non ! protesta Margaux, qu'une nouvelle quinte de toux empêcha d'en dire plus.

Mélanie consulta sa montre :

— Allez, on y va, les filles. C'est la soirée mexicaine, et si on traîne, on n'aura plus de guacamole.

Pauline tapota le genou de Margaux à travers la couverture.

— On reviendra te voir demain, promit-elle. Essaie de bien dormir. Je compte sur toi pour venir m'encourager samedi quand je monterai Minnie.

— Je serai là, même si je dois me faire porter sur un brancard.

Bien qu'elle eût aimé garder ses amies encore un peu, elle les laissa partir sans trop de regrets. Une minute plus tard, elle dormait.

10

Margaux s'éveilla de sa sieste vers sept heures du soir. Elle avait encore la tête embrumée par la grippe, mais son mal de ventre avait disparu. Elle mangea les biscottes que Mme Herson lui avait laissées et but un verre d'eau de la carafe posée près de son lit. Puis elle prit son BlackBerry pour lire ses mails. Il y en avait un de ses parents, plusieurs de ses amis du Connecticut, et un d'Henri, le jeune Français qu'elle avait rencontré pendant ses vacances au ski. Elle l'ouvrit, le cœur battant.

Salut, Margaux. Bien reçu ton mail. Désolé d'apprendre que tu es malade. J'espère que tu vas vite guérir. Henri.

Elle haussa les épaules : pas très romantique comme message ! D'un autre côté, c'est vrai que l'anglais d'Henri restait rudimentaire. Et, étant donné son propre niveau en français, elle n'était pas près de lui écrire des poèmes, elle non plus...

La porte s'ouvrit ; elle leva les yeux, s'attendant à voir Mme Herson ou l'infirmière. Mais ce fut Annie Carmichael qui entra, les bras chargés de magazines d'équitation.

— Toc toc ! Y a quelqu'un ? demanda-t-elle avec un sourire.

— Qu'est-ce que tu fais là ? s'écria Margaux, abandonnant aussitôt son BlackBerry.

— Eh bien, je viens te chercher pour curer les box, qu'est-ce que tu crois ?

Margaux laissa échapper un soupir :

— Mauvaise nouvelle, l'infirmière a dit que la gravité de mon état m'interdisait toute corvée d'écurie jusqu'à la fin de l'année. En revanche, je dois pratiquer l'équitation intensément si je veux guérir…

— Très drôle, gloussa sa tante en posant les journaux sur la table. Je vais peut-être aller la voir pour vérifier ce diagnostic. En attendant, j'ai pensé que tu pourrais jeter un coup d'œil sur ces vieilles revues.

— Oh, merci !

Margaux était touchée que sa tante eût pris le temps de venir la voir. Elles s'étaient beaucoup rapprochées pendant ces vacances passées ensemble, où elles avaient pu abandonner le rôle élève-professeur qu'elles devaient jouer en public.

— Et comment ça va, à l'écurie ? Les filles ne se lamentent plus pour le concours ?

Annie fronça légèrement les sourcils :

— Pas à ma connaissance. Le problème, c'est que pas une seule ne se remet en question pour cet échec.

— Oh !

Margaux ne savait pas quoi répondre à cela. La fièvre lui brouillait-elle les idées, ou sa tante était-elle réellement préoccupée ? Elle se sentait trop fatiguée pour répondre à cette question.

Margaux était en train de feuilleter le dernier numéro de *Teen People*, trouvé entre les magazines d'équitation, le lendemain après-midi, lorsque Pauline et Mélanie revinrent lui rendre visite. Margaux leur aurait sauté au cou si elle n'avait pas eu peur de leur transmettre ses microbes. Elle avait l'impression d'avoir passé la journée dans un état second : trop fatiguée pour reprendre une activité normale, mais assez rétablie pour ne plus supporter d'être clouée au lit.

— Vous voilà enfin ! s'écria-t-elle sur un ton mélodramatique. Je n'en peux plus de moisir dans ce cachot ! Y a pas de pire châtiment que de rester des journées entières à contempler ces murs pastel !

— On dirait qu'elle reprend du poil de la bête ! glissa Pauline à Mélanie.

— Ouais, c'est dommage, ça nous faisait des vacances ! pouffa Mélanie, qui n'eut que le temps de baisser la tête pour éviter le journal que Margaux lui avait jeté à la figure. Quoi que... vu comment tu vises, tu dois être encore un peu faible.

— Très drôle ! grommela Margaux alors que Mélanie ramassait le journal et le lui relançait. C'est pas charitable, de se moquer d'une malade, tu sais. Mais où est Laurie ?

— Elle passera plus tard, répondit Pauline. Elle est restée à l'écurie avec Flore pour lui apprendre à faire le massage doux à Mischief.

Margaux hocha la tête : elle savait que Laurie s'intéressait de très près aux thérapies alternatives. Son amie en suivait les évolutions sur le site Internet de Heartland, le refuge de chevaux voisin, et vouait une grande admiration à sa propriétaire, Laura Fleming. Une de ses techniques favorites était le massage doux, développé par Linda Tellington-Jones afin d'aider les chevaux à se détendre.

— Super ! Mischief va adorer. Et, sinon, quoi de neuf ?

— Eh bien, tu as raté un éclat entre Claire Houlder et Mme Carmichael, annonça Mélanie avec une grimace. Claire lui a tenu tête pendant le cours avancé.

— C'est pas vrai ! murmura Margaux, se souvenant avec inquiétude de la rage de Claire lors du concours. Qu'est-ce qu'elle lui a dit ?

Les yeux bruns de Mélanie étincelèrent comme à chaque fois qu'elle était en colère ou contrariée.

— Claire s'est énervée parce qu'elle n'arrivait pas à faire le nouvel exercice que Mme Carmichael nous demandait. Sancha n'arrêtait pas d'accélérer et de casser le rythme et, du coup, elle a pété les plombs. Elle l'a brutalement arrêté et s'est mise à crier que jamais Mlle Mitchell ne leur avait fait sauter des combinaisons aussi tordues, qu'elle n'avait jamais eu de problème sur Snapdragon, et patati et patata…

De surprise, Margaux se mit à tousser. C'est vrai que sa tante tenait particulièrement à ces exercices de coordination, qui requéraient une précision absolue de la part du cavalier comme du poney. Certes, c'était moins amusant qu'un parcours, mais de là à faire un tel cinéma…

— Pas possible !

— Si ! confirma Mélanie. J'avais honte pour elle.

— Heureusement, Mme Carmichael ne s'est pas laissé démonter, reprit Pauline. Elle a juste demandé à Claire d'observer les autres avec attention et de commenter ensuite leur passage.

— Elle en a vu d'autres ! gloussa Mélanie. Faut pas oublier qu'elle se coltine la princesse Audrey tous les jours… Ce n'est pas une petite escarmouche comme ça qui va la déstabiliser.

Pauline éclata de rire :

— Tu as raison. Je crois que Claire était surtout vexée de ne pas y arriver devant tout le monde. Elle est tellement susceptible !

— Ouais, elle a un sacré problème, acquiesça Margaux. Mais vous ne croyez pas qu'il s'est aggravé ces derniers temps ? Au concours, les trois C n'ont pas arrêté de se plaindre de tout, surtout de Tante Annie. Et aujourd'hui…

— On s'en fiche, de ces trois râleuses, la coupa Mélanie en haussant les épaules.

— Peut-être…

Margaux se laissa retomber contre son oreiller, soudain submergée de fatigue. Pendant que ses copines continuaient à bavarder, son esprit se mit à vagabonder. Était-ce à cause de sa grippe ? Elle avait comme l'impression que Claire et ses amies ne se contenteraient pas de dénigrer sa tante…

11

Le mercredi matin, Margaux se sentait nettement mieux, et sa température était revenue presque à la normale.

— Alors, je peux regagner ma chambre ? demanda-t-elle à Mme Herson.

— Mm…, murmura la surveillante. Attendons ce soir. Je ne voudrais pas que tu rechutes.

Margaux se retint de crier.

— Je ne suis plus contagieuse. Je n'en peux plus, de rester enfermée ici ! Laissez-moi sortir un petit moment, s'il vous plaît.

— Eh bien…

Margaux la supplia du regard.

— D'accord, céda Mme Herson. Cela ne te fera pas de mal. Mais pas longtemps, promis ?

— Promis ! répondit Margaux.

Pour que la surveillante n'ait pas le temps de se raviser, elle sauta du lit et enfila les vêtements que Pauline lui avait descendus la veille.

Une fois dehors, elle s'arrêta et inspira à grandes goulées l'air froid et vivifiant. Puis elle alla directement à l'écurie. Au début un peu raide après trois jours passés au lit, elle finit le trajet en courant.

— Ah, la bonne odeur de fumier ! J'adore ! s'écria-t-elle quand les effluves de chevaux parvinrent à ses narines.

Elle écarta les bras comme pour embrasser toute l'écurie.

Une élève de troisième lui lança un regard étonné que Margaux ignora. Elle venait de remarquer plusieurs chevaux qui entraient dans la carrière intérieure avec leurs cavalières : le cours avancé des élèves de seconde allait commencer !

Aude Philips, la monitrice de saut, l'aperçut alors qu'elle refermait la porte.

— Tu ne devrais pas être dans ta classe ? demanda-t-elle.

— Non, je suis à l'infirmerie depuis dimanche, et Mme Herson m'a juste permis de sortir quelques minutes, me dégourdir les jambes et prendre l'air. Un peu comme un cheval qui se remet. Ça ne vous ennuie pas si je regarde un peu ?

— Pas du tout ! répondit Aude avec un grand sourire avant de gagner le centre de la piste. Très bien, mesdemoiselles ! lança-t-elle aux filles qui échauffaient leurs montures. Défoulez-vous, le temps que je prépare les obstacles pour notre exercice de coordination.

— Encore ! maugréa Justine. Je croyais qu'on devait faire un parcours.

Margaux leva les yeux au ciel. Elle adorait ce genre de reprise, contrairement à certaines élèves, qui trouvaient inutile toute leçon de saut qui ne comprenait pas des parcours complets, comme ceux qu'elles rencontraient en concours.

— Changement de programme ! répondit la monitrice. Mme Carmichael veut que nous nous concentrions sur l'adaptabilité, et ces exercices particuliers devraient nous aider. Nous sommes également censées tester une nouvelle méthode : après chaque passage, vous devrez formuler un compliment et une critique constructive pour les cavalières. De cette manière, nous pourrons apprendre les unes des autres.

— Non mais, c'est quoi encore, cette invention ? s'écria Sophie Chatterton, le nez plissé.

La monitrice lui décocha un tel regard qu'elle tenta aussitôt de se rattraper.

— Euh… je veux dire que ça va nous prendre beaucoup de temps, toutes ces remarques.

Mlle Phillips haussa les épaules.

— On verra bien. Si tout le monde s'en sort bien, on fera peut-être un ou deux parcours.

Margaux s'appuya à la barrière, captivée. Elle adorait regarder les cours supérieurs. Même si les filles n'avaient que deux ou trois ans de plus qu'elle, plusieurs d'entre elles possédaient déjà une longue expérience. Le père de Justine était entraîneur de course à New York. Natacha Appleby était une star montante chez elle, en Californie. Quant à Julia Watt et à Sophie Chatterton, elles participaient chaque été aux championnats de la côte Est.

Après s'être échauffées sur le plat, les cavalières commencèrent les exercices. Personne n'eut de problème avec le premier, même lorsque Mlle Phillips augmenta la hauteur des obstacles. Margaux constata seulement qu'au bout de quelques tours la monitrice parut oublier les séances de critiques.

Elles passèrent ensuite à une deuxième série de sauts. Julia et Natacha franchirent les obstacles sans problème, mais Hélène Sullivan, qui montait Colorado, le poney préféré de Mélanie, perdit le rythme et percuta le dernier élément. À la tentative suivante, bien que nerveux et un peu rapide, Colorado réussit à ne rien renverser. Les autres cavalières firent preuve de davantage de prudence. Comme il leur fallut trois passages avant de s'accoutumer à cet exercice, la fin du cours arriva sans leur laisser de temps ni pour un parcours, ni pour les critiques.

Margaux brûlait d'envie de remonter en selle.

— Joli travail, les filles ! les félicita-t-elle quand les élèves se dirigèrent vers l'écurie. J'aurais adoré faire ces exercices avec vous.

— Tu ne sais pas à quoi tu as échappé ! grommela Justine.

Margaux haussa les épaules et leur emboîta le pas, décidée à passer un moment avec Morello avant de regagner la Suite présidentielle. Perdue dans ses pensées, elle faillit percuter la croupe de Lucky : Julia, sa cavalière, s'était arrêtée en plein milieu de l'allée pour discuter avec Sophie Chatterton.

— ... et Mme Carmichael a dit qu'on ne ferait pas de parcours non plus la semaine prochaine ! se plaignait-elle tout en retirant la selle de son cheval. C'est stupide ! Liz Mitchell nous aurait fait travailler le parcours que nous avons raté jusqu'à ce qu'on puisse le réaliser les yeux fermés !

— Je suis d'accord avec toi, répondit Sophie en essuyant la sueur sur le front de Gandalf. Comment veux-tu qu'on ait la moindre chance contre les autres écoles si nous…

Apercevant Margaux, elle s'arrêta net et lui adressa un sourire hypocrite.

Julia se retourna à son tour :

— Oh, pardon ! Attends, je me pousse.

D'un claquement de langue, elle fit avancer Lucky vers le box de lavage.

Margaux ne bougea pas tout de suite. Elle était déjà contrariée que les trois C râlent contre sa tante. Et voilà que d'autres cavalières se lamentaient comme elles ! Elle se demanda ce qui s'était passé exactement pendant qu'elle restait clouée au lit.

— Salut, Margaux !

La voix d'Annie la tira de ses pensées.

— Ta surveillante sait que tu es debout ?

Margaux agita le bras en prenant l'air insouciant. Elle ne voulait pas l'inquiéter avec ce qu'elle venait d'entendre, du moins pas tant qu'elle ne serait pas certaine de la gravité de la situation.

— Oui, elle m'a autorisée à aller prendre l'air. Et je me suis dit qu'il n'y avait pas de meilleur endroit que l'écurie pour cela.

— Parfait. Mais n'en fais pas trop, d'accord ? ajouta Annie Carmichael avant de se tourner vers les cavalières. Alors ? Comment c'était ?

— Difficile…, murmura Natacha.

— Parfait ! Comme je vous l'ai dit lundi, nous allons passer au niveau supérieur. Est-ce que les critiques individuelles vous ont aidées à mieux franchir ces obstacles ?

Les élèves échangèrent des regards ennuyés.

— Oui, un peu, répondit Justine. Sauf qu'on ne savait pas toujours quoi dire et on n'a pas eu le temps de le faire à tous les passages. Mais, au début, c'était intéressant.

— C'était pourtant le but de l'exercice…, grommela Mme Carmichael, préoccupée. Savez-vous où est Mlle Phillips ?

Margaux regarda sa tante partir à grands pas.

— Qu'est-ce qui lui arrive ? marmonna-t-elle à Morello, qui tendait la tête par-dessus son portillon.

Elle n'avait jamais vu sa tante s'énerver comme ça. « Je me suis absentée à peine trois jours, et quand je reviens, tout le monde se comporte de manière bizarre ! » pensa-t-elle, le front plissé.

— Tu es sûre que tu es suffisamment rétablie pour manger tout ça ? s'inquiéta Mélanie en contemplant l'assiette remplie à ras bord de Margaux.

— Je te rappelle que je n'ai rien avalé depuis trois jours et demi. Je meurs de faim.

Elle y était peut-être allée un peu fort sur la dose, mais elle était si contente d'avoir quitté l'infirmerie ! Après les cours, ses amies l'avaient aidée à réintégrer sa chambre. Ensuite elles étaient descendues dîner ensemble à la cafétéria.

— Tu veux qu'on aille voir les chevaux quand on aura

fini de manger ? lui proposa Laurie. Morello doit te manquer terriblement.

— Je suis allée lui rendre une petite visite tout à l'heure, je ne suis pas restée longtemps… En fait, ajouta-t-elle après s'être assurée qu'aucune oreille indiscrète n'écoutait leur conversation, je n'ai pas eu envie de m'attarder à l'écurie. Bonjour l'ambiance !

— Qu'est-ce que tu veux dire ?

— J'ai assisté au cours des secondes. Après, elles n'ont pas arrêté de se plaindre. Un vrai concert de lamentations !

— Laisse-moi deviner, fit Mélanie. Elles pestaient de ne pas avoir de palefreniers pour desseller leur monture, comme sur le circuit ?

— Pas vraiment. Elles ont cassé du sucre sur le dos de Tante Annie. Ça m'a rappelé les réflexions des trois C pendant le concours, quand elles se plaignaient de manquer d'entraînement. Pour finir, elles ont encore comparé Annie à Liz Mitchell.

Laurie haussa les épaules :

— Et alors ? Claire n'est jamais contente. Elle n'a pas digéré le fait de ne pas avoir été sélectionnée dans l'équipe de saut cette année.

— Je le pensais aussi, surtout depuis que vous m'avez dit qu'elle avait pété les plombs en cours d'équitation. Mais c'est le mécontentement de Sophie et de Julia qui m'a surprise. Et la contrariété de Tante Annie, quand elle a appris que Mlle Phillips n'avait pas suivi à la lettre ses directives sur les critiques constructives. Je trouve ça louche !

— Je comprends que tout ça t'inquiète, intervint Pauline,

mais tu dramatises. Sans doute parce qu'il s'agit de ta tante et que ça te touche de près.

— Et parce que tu as été très malade, enchaîna Laurie. Moi aussi, chaque fois que j'ai la grippe, je vois tout en noir.

« Je ne dramatise rien du tout, s'emporta intérieurement Margaux. Et ce n'est pas parce qu'il est question de ma tante. Je sais ce que j'ai entendu… »

Elle réprima toutefois son mouvement d'humeur : elle ne voulait pas se fâcher avec ses amies le jour de son retour à la vie normale. Elle n'avait qu'à rester vigilante pour comprendre ce qui se tramait.

12

— Laurie ! Attends-moi !

Margaux et ses amies s'arrêtèrent sur le seuil du hall. Le dîner venait de se terminer et elles couraient vers le foyer pour ne pas rater le film qu'elles devaient regarder avec leurs copines Jessica Jackson, Alexandra Cooper et Y Lan Chang.

Margaux cligna des yeux en voyant que c'était Audrey qui appelait Laurie :

— Qu'est-ce qu'elle te veut ?

— Je n'en sais pas plus que toi, répondit Laurie, aussi surprise qu'elle.

Audrey était bien forcée d'avoir quelques échanges avec Margaux et Pauline puisqu'elles partageaient la même chambre. Quant à Mélanie, elle ne laissait personne l'ignorer avec son caractère intrépide et ouvert. Des quatre amies, Laurie était sans doute celle qui avait le moins de raisons de communiquer avec Audrey. Et, sauf pour lui demander de dégager le passage pendant les cours d'équitation, Audrey ne lui adressait pas la parole non plus.

— Je voudrais qu'on parle, toutes les deux, déclara-t-elle en rejetant ses longs cheveux blonds dans son dos.

— À quel sujet ? demanda Laurie.

Audrey jeta un regard méfiant vers les autres filles.

— C'est personnel. On sera mieux dans ma chambre.

Margaux plissa les yeux :

— En voilà des mystères !

Audrey l'ignora.

— Viens, Laurie, insista-t-elle en attrapant la jeune fille par le bras.

Perplexe, Laurie haussa les épaules et se laissa entraîner vers l'imposant escalier à double volée.

— C'est louche ! murmura Mélanie alors qu'elles disparaissaient.

Margaux s'avança de quelques pas en regrettant de ne pas être une petite souris.

— Ça, tu l'as dit ! Depuis quand Audrey s'est-elle aperçue de l'existence de Laurie ?

— Patience ! Elle nous racontera tout.

Mélanie avait raison, bien sûr. Seulement, la patience n'avait jamais été le fort de Margaux, qui lança :

— Je vous retrouve au foyer. Il faut que... que j'aille mettre mes baskets.

Pauline et Mélanie échangèrent un regard sceptique. Sans leur laisser le temps de protester, elle monta les marches quatre à quatre jusqu'au deuxième étage. Elle s'approcha sur la pointe des pieds de la porte de leur chambre, restée entrouverte, dans l'espoir d'entendre ce qui se disait à l'intérieur. Hélas, seul un murmure inintelligible lui parvint.

Elle poussa le battant tout doucement… Audrey et Laurie se turent aussitôt et se tournèrent vers elle. Audrey se tenait debout devant Laurie, qui s'était perchée sur le bord du fauteuil.

— Ne vous occupez pas de moi, fit Margaux d'un air innocent. Je viens juste prendre un truc.

Audrey croisa les bras :

— Grouille-toi ! On aimerait bien pouvoir discuter tranquillement.

— Tu ne peux pas me forcer à partir. C'est aussi ma chambre, je te signale.

Audrey la foudroya du regard :

— C'est bon ! Viens, Laurie, on va trouver un autre endroit pour parler.

Laurie adressa un sourire d'excuse à Margaux avant de suivre Audrey dans le couloir. Margaux se laissa tomber sur le lit de Pauline en se demandant si elle ne devrait pas les épier.

C'est là que Mélanie la retrouva quelques minutes plus tard.

— Tu as changé de chaussures ?

— Hein ? Non, j'ai surtout changé d'avis, avoua-t-elle avec un regard piteux vers ses pieds.

— Tu as abandonné ton enquête ?

— Ouais. Audrey est pénible, mais pas stupide. Inutile que je me fatigue à les pister.

— Parfait. Alors viens, le film va commencer.

— Dire que je n'ai pas le droit de monter jusqu'à la semaine prochaine ! Je n'arrive pas à le croire ! se lamentait

Margaux le lendemain en regardant ses amies seller leurs poneys.

Mélanie avait attaché Colorado devant sa stalle ; un peu plus loin dans l'allée, Pauline préparait Falcon, un poney bai foncé. Tybalt, lui, préférait qu'on l'harnache dans son box.

— Je sais exactement ce que tu ressens, compatit Mélanie en ajustant la sangle de Colorado. Quand je me suis foulé le poignet, je n'ai pas pu monter pendant quinze jours, tu te souviens ? Au moins, tu peux nous regarder. Tu as de la chance qu'il ne fasse pas plus froid, sinon tu te serais retrouvée bloquée à la bibliothèque ou en étude.

Margaux devait reconnaître qu'elle avait raison, mais ça ne la consolait pas pour autant. De plus, Laurie ne leur avait toujours pas confié ce qu'Audrey lui voulait, la veille. Elle était revenue au milieu du film, en affirmant que ce n'était rien de bien intéressant, et qu'elle ne pouvait pas en parler. Margaux avait essayé en vain de lui tirer les vers du nez. Certes, Laurie était d'une grande discrétion, seulement, là, elle exagérait !

Elle suivit ses amies quand elles sortirent leurs poneys. C'était un cours de plat, et Roger Musgrave, le moniteur, les attendait en consultant sa montre.

— Vous êtes en retard ! aboya-t-il avec son accent britannique snob tandis que Laurie et Pauline se succédaient sur le montoir devant la porte.

Mélanie, elle, sauta directement en selle. Audrey et Nadia Simon, l'une de ses fans, étaient déjà dans la carrière avec Heidi Johnson et Paris Mackenzie.

— Nous avons beaucoup de travail aujourd'hui, annonça

l'instructrice. Mademoiselle Walsh, puis-je savoir ce que vous faites encore à pied ? D'ailleurs, où est votre cheval ?

Margaux lui expliqua que Mme Carmichael et Mme Herson ne voulaient pas qu'elle reprenne l'équitation avant une semaine avant d'ajouter d'un ton plein d'espoir :

— Mais si vous pensez que je peux monter...

Pour toute réponse, M. Musgrave tendit sa cravache vers les gradins à l'extérieur de la carrière. Pourtant Margaux aurait juré voir pétiller son regard quand il détourna la tête.

Elle passa les quarante minutes suivantes à regretter de ne pas être avec les autres. Elle était tellement captivée par Nadia qui essayait d'obtenir de Hardy une position correcte, avec une épaule en dedans, qu'elle ne vit sa tante qui traversait la cour de l'écurie que lorsque celle-ci passa devant elle.

— Hé ! s'écria-t-elle en courant vers elle. Tu viens me dire que je peux monter au prochain cours ?

— Quoi ?

Annie la regarda sans sembler la voir.

— Oh, Margaux ! Non, non pas du tout. J'allais juste à mon bureau.

Margaux oublia ses propres problèmes en remarquant sa mine soucieuse.

— Qu'est-ce qui ne va pas ?

Annie poussa un profond soupir :

— Le constructeur de notre cross-country vient de m'appeler. Le parcours deux étoiles du parc national a été endommagé par la tempête du mois dernier, et il doit laisser ses autres chantiers en suspens pour régler ce problème de toute urgence. Du coup, notre projet risque d'être retardé d'un mois.

— Oh, non ! s'exclama Margaux. C'est nul !

— Je sais… Mais le premier concours complet du parc ayant lieu début avril, ils ont la priorité.

— Qu'est-ce que tu veux y faire ? murmura Margaux en essayant de cacher sa déception. Tu n'y es pour rien. Ce n'est pas grave ; tout le monde comprendra.

— Sans doute, répondit Annie, toujours préoccupée. Mais ce n'est jamais très agréable d'être le messager de mauvaises nouvelles. Nous espérions que le parcours serait achevé dans les délais, conclut-elle avant de reprendre son chemin.

Margaux la regarda s'éloigner, de plus en plus angoissée.

Lorsqu'elle revint à l'écurie avec ses amies après le dîner, les filles ne parlaient que du retard dans la construction du cross-country.

— C'est vraiment pas de chance ! disait Anita Demarco quand elles entrèrent. Un parcours professionnel sur le campus aurait attiré de nouvelles élèves. Enfin, parmi celles qui s'intéressent à l'équitation.

— Les seniors n'auront jamais l'occasion de l'essayer ! remarqua Flore Chapelin, qui baignait la jambe blessée de Mischief dans le box de lavage.

— Cela dit, la préparation aux championnats semble le dernier de nos soucis, intervint Natacha Appleby en démêlant les crins de Highland Fling. Autrefois, notre école était célèbre pour les succès de ses équipes de saut. À présent, faut même pas y penser !

— Oui, c'est assez déprimant ! enchérit Anita avec une grimace. Les copines de ma mère qui ont fait leurs études à Allbrights n'arrêtent pas de la charrier depuis le dernier championnat.

Alors qu'elle écoutait les réflexions des grandes, Margaux sentit son estomac se soulever. Et, cette fois, la grippe n'y était pour rien.

— Vous avez entendu ? chuchota-t-elle à ses amies. Elles sont tellement contrariées par ce retard qu'elles sont prêtes à accuser Tante Annie de tous les maux, de la baisse de nos résultats à celle du pouvoir d'achat...

— Tu ressasses encore ça ? s'étonna Laurie. Je pensais qu'on t'avait convaincue que c'était uniquement dans ta tête.

— Ouais, l'approuva Mélanie avec un haussement d'épaules. Elles en veulent à Mme Carmichael de nous avoir bousculées cette semaine. Ça leur passera !

Margaux ne prit même pas la peine de leur répondre. Le front plissé, elle parcourut l'écurie d'un regard anxieux. C'était déjà inquiétant que Claire et ses acolytes se plaignent et que de mauvaises langues comme Audrey et Patty se laissent entraîner par la grogne des grandes, mais à présent elle avait la nette impression qu'il se formait carrément un complot contre sa tante.

Ses amies ne s'en rendaient pas compte, pourtant il n'y avait aucun doute : c'était une mutinerie !

13

Le lendemain était un vendredi. Dès le lever du soleil, la journée s'annonça chaude et ensoleillée, agréable avant-goût du prochain changement de saison. Avec le bal du Printemps organisé par St Kits huit jours plus tard, une séance de shopping s'imposait. Les élèves n'avaient le droit de quitter l'école que le samedi, où une navette était mise à leur disposition pour les conduire à Cheney Falls, la petite ville voisine. Cette modeste bourgade n'offrait rien de comparable à New York, mais il y avait une galerie marchande, un marché aux puces et un quartier commerçant où on trouvait des cafés, des restaurants, des magasins d'antiquités et de jolies boutiques. Le lendemain leur offrant leur dernière chance d'aller faire des courses avant le bal, les filles passaient leurs tenues en revue pour dresser la liste de ce dont elles avaient besoin, pendant qu'elles dînaient à la cafétéria.

— … alors, j'ai dit à Jessica qu'elle pouvait prendre mon collier en turquoise… Margaux, tu m'écoutes ?

— Hein ?

Margaux sursauta et leva les yeux vers Mélanie, qui la fixait d'un air étonné.

— Qu'est-ce qui peut t'intéresser plus que nos tenues pour le bal ? Ne me dis pas que tu penses encore au prétendu complot qui se trame contre Mme Carmichael !

Margaux haussa les épaules.

— Si, un peu, avoua-t-elle.

À cet instant, Patty s'approcha de leur table, son plateau à la main.

— À propos de Mme Carmichael, vous connaissez la nouvelle ?

— Quelle nouvelle ? demanda Mélanie.

— Quoi, vous n'êtes pas au courant ? s'écria Patty, qui écarquilla les yeux, feignant la surprise. Des anciennes élèves se sont plaintes de la baisse de niveau de l'équipe de saut depuis son arrivée. En particulier la mère de Claire Houlder, qui a peur qu'on ne perde le trophée du championnat des écoles, cette année.

— Qui se soucie de son avis ? riposta Margaux, exaspérée par le sourire satisfait de Patty.

— Beaucoup de gens, figure-toi. À commencer par celles qui se servent du matériel hypersophistiqué qu'elle a offert au laboratoire de langues, l'an dernier... En tout cas, je n'aimerais pas déplaire à Mme Houlder. Ni qu'on me voie en compagnie de quelqu'un qui risque de lui déplaire..., ajouta-t-elle avec un petit sourire appuyé en regardant Margaux. Oh ! Voilà Audrey. Je vous laisse, les filles !

Margaux la regarda s'éloigner en grinçant des dents.

— Beurk ! Elle m'a coupé l'appétit !

Elle détestait Patty depuis que celle-ci l'avait dénoncée le soir où elle avait relevé un défi d'Audrey et s'était rendue à l'écurie après le couvre-feu.

— Tu ne devrais pas t'énerver comme ça, murmura Pauline en remuant sa soupe. Tu sais bien qu'elle raconterait n'importe quoi pour se rendre intéressante. Je suis sûre qu'il ne s'agit que d'une rumeur idiote !

Margaux inspira profondément, décidée à ne pas laisser Patty, Claire et les deux autres casse-pieds lui gâcher son week-end. Elle avait passé la matinée à osciller entre l'excitation provoquée par le bal en perspective et son inquiétude pour sa tante. Ses amies avaient beau faire de leur mieux pour la convaincre qu'elle s'angoissait pour rien, elle n'arrivait pas à bannir de son esprit la scène troublante à laquelle elle avait assisté la veille dans l'écurie.

— Tu as raison. Et je connais un moyen idéal de me changer les idées : le shopping !

Hélas, ce plaisir devait lui être refusé, lui aussi…

— Je suis désolée, Margaux, lui annonça le lendemain matin Mme Herson, alors qu'elle s'apprêtait à signer le cahier des sorties. Pas d'excursion en ville pour toi aujourd'hui. Tu dois te reposer ce week-end. Tu ne voudrais pas rechuter, n'est-ce pas ?

— Quoi ? Mais je suis totalement guérie !

La surveillante secoua la tête :

— Même si je le croyais, le règlement est le règlement. Pas de cours d'équitation, pas d'EPS, et pas de sortie pendant une semaine après un séjour à l'infirmerie.

— Alors, je vais lancer une pétition pour que ça change, répondit Margaux, ne plaisantant qu'à moitié.

Chestnut Hill encourageait en effet ses élèves à appliquer les grands principes de la démocratie. La direction laissait en permanence des formulaires à leur disposition. N'importe quelle élève pouvait faire circuler une pétition parmi ses camarades pour soutenir un projet ou s'insurger contre une décision ou un règlement. Du coup, Margaux menaçait de faire une pétition à chaque fois qu'on leur servait du chou à la cafétéria.

— J'ai bien peur que tu ne réunisses pas suffisamment de signatures avant le départ de la navette à dix heures, répondit Mme Herson. Mais tu devrais te réconforter à l'idée que tu seras en pleine forme pour le bal de samedi prochain.

— Oui, sauf que je n'aurai rien à me mettre, gémit Margaux.

Apprenant qu'elle ne les accompagnerait pas, ses amies proposèrent de rester avec elle.

— Ce ne sera pas drôle d'aller en ville sans toi, dit Mélanie, surtout que les petits copains de Laurie et Pauline sont coincés à St Kits ce week-end. Qu'est-ce que je vais faire sans toi ?

— Oui, on peut tout à fait s'en passer, acquiesça Laurie. Comment veux-tu que je choisisse une robe sans les conseils de ma styliste ?

— Non, je vous interdis de vous priver de cette sortie ! protesta-t-elle. Inutile que tout le monde reste à se morfondre avec moi.

Elle savait entre autres que Laurie attendait avec impatience d'aller faire les magasins. Une de ses tantes lui avait envoyé de l'argent avant Pâques, et elle avait décidé de l'investir dans une jolie tenue pour la soirée.

— Mais…, commença Pauline.

— Non, non, non ! la coupa Margaux. Je vous assure que je serais encore plus triste si vous restiez. Promettez-moi juste d'aider Laurie à trouver une robe qui laissera Caleb sans voix.

Elle se mordilla la lèvre en pensant à tous les bons moments qu'elle allait manquer ; puis, s'apercevant que ses copines la dévisageaient, elle afficha un grand sourire :

— Et rapportez-moi plein de bonbons pour me consoler !

14

Pendant que ses amies partaient prendre la navette, Margaux se dirigea vers l'écurie en coupant par la prairie, derrière le dortoir Adams, pour retrouver Morello.

Elle fut surprise d'apercevoir une cavalière dans la carrière de dressage. En s'approchant, elle reconnut Audrey sur Bluegrass. Deux obstacles y étaient installés, une paire de verticaux assez bas et écartés de quatre foulées. Audrey semblait très concentrée : elle ne remarqua même pas l'arrivée de Margaux, qui s'appuya à la barrière pour la regarder.

D'un claquement de langue, elle lança Bluegrass au trot vers le premier obstacle. Au bout de deux foulées à peine, il se mit au galop.

— Non ! cria Audrey. Pas ça !

Elle dévia le poney de sa trajectoire et fit une boucle pour recommencer. Cette fois, Bluegrass resta au trot, mais il franchit le premier obstacle maladroitement et atterrit sans grâce. Quand Audrey le poussa, il renversa la tête en arrière et, arrivé devant le second obstacle, il décolla du sol trop vite et accrocha la barre avec ses postérieurs.

Margaux préféra s'éclipser avant qu'Audrey s'aperçoive qu'elle avait un témoin. Pendant que la cavalière ramenait son poney vers la ligne, elle quitta son poste d'observation et courut s'engouffrer dans l'écurie.

À l'intérieur, Julie et Elsa, les palefrenières, étaient en train de sortir les chevaux de leurs box afin qu'ils profitent de cette journée printanière. Margaux leur proposa son aide : elle n'avait pas le droit de monter, certes, mais Mme Herson ne lui avait pas défendu de mener un poney à la longe !

Alors qu'elle revenait du pré, où elle avait conduit Morello, elle passa devant la carrière de saut qui se trouvait à l'opposé de celle de dressage. Anita entraînait son cheval, Prince, sur un parcours sous l'œil vigilant de Mlle Philips et d'une grande femme mince d'une trentaine d'années, accoudée à la barrière.

« Mlle Mitchell ? s'interrogea Margaux, croyant reconnaître la directrice d'équitation d'Allbrights. Qu'est-ce qu'elle fiche ici ? »

Margaux n'était pas du genre à laisser sa timidité l'emporter sur sa curiosité. Elle s'approcha de la jeune femme, un sourire poli sur les lèvres.

— Bonjour, mademoiselle. Je m'appelle Margaux. Et vous êtes mademoiselle Mitchell, d'Allbrights, n'est-ce pas ? Est-ce que je peux vous aider ?

Elizabeth Mitchell lui rendit son sourire.

— C'est très gentil à toi, Margaux, mais tout va bien. Comme j'étais en avance pour mon rendez-vous avec Mme Starling, j'ai pensé que ce serait plus agréable d'attendre ici.

— Ah, d'accord, fit Margaux sans cesser de sourire alors qu'une question la taraudait : pourquoi Mlle Mitchell avait-elle rendez-vous avec la directrice de l'école ?

— Tu ne serais pas la nièce de Mme Carmichael ? continua la jeune femme en la dévisageant. Je crois que je t'ai vue au dernier concours. Tu montais un superbe pinto plein de fougue.

— Oui, c'est ça. Il s'appelle Morello, et il appartient à ma tante. Elle l'a amené avec elle du Kentucky.

— Eh bien, vous formez une excellente équipe, tous les deux. Tu as ajusté sa foulée avant la combinaison comme une pro, et tu l'as parfaitement tenu quand il a découvert le mur.

Margaux se sentit flattée malgré elle, et très impressionnée d'avoir été remarquée par cette grande cavalière. Elle se ressaisit, ayant l'impression de trahir sa tante.

— Mme Carmichael nous avait bien préparées, s'empressa-t-elle de préciser.

Un claquement de sabots retentit dans son dos, et Claire Houlder apparut en compagnie de Sancha, qu'elle tirait par les rênes.

— Mademoiselle Mitchell ! s'écria la jeune fille, son expression renfrognée habituelle laissant la place à un sourire radieux, qui la rendait presque jolie.

— Claire ! s'exclama Mlle Mitchell avec autant de joie qu'elle. Que je suis contente de te voir ! J'espérais t'admirer samedi dernier, mais j'ai appris à mon grand étonnement que tu ne concourais pas.

Margaux tressaillit. « Génial ! Comme si Claire avait

besoin qu'on lui rappelle qu'elle n'a pas été sélectionnée cette année… »

Claire ne répondit pas tout de suite.

— Je viens de changer de monture, finit-elle par expliquer avec un geste vers Sancha, qui mordillait ses rênes. Et nous ne sommes pas encore prêtes pour la compétition.

Mlle Mitchell hocha la tête, pensive :

— Sancha devrait bien te convenir. Vous avez beaucoup à apprendre l'une de l'autre.

Anita quitta le manège, et Claire s'avança pour prendre sa leçon particulière avec Mlle Phillips. Margaux ne put résister à l'envie d'assister au début de son cours. Mlle Mitchell resta, elle aussi.

— Sancha a l'air en forme, dit-elle à Margaux alors que Claire mettait la jument au trot. Elle a toujours été un peu nerveuse, mais elle compense largement ce défaut par sa bonne volonté.

— Elle a l'air sympa, en tout cas, acquiesça Margaux.

Pendant plusieurs minutes, elles regardèrent en silence Claire terminer son échauffement par quelques sauts d'obstacle. Margaux sentait qu'elle essayait d'impressionner son ancien professeur. Elle s'appliquait à garder la jument concentrée et rassemblée, ça se voyait.

Au bout de deux parcours, Mlle Mitchell consulta sa montre et sourit à Margaux.

— Je ferais bien d'y aller si je ne veux pas arriver en retard. J'ai été ravie de parler avec toi, Margaux. Bonne chance pour la suite !

— Merci, répondit Margaux avec un grand sourire, tout

en s'en voulant de ne pas trouver Mlle Mitchell antipathique.

Mais comment aurait-elle pu ne pas aimer quelqu'un qui s'intéressait autant aux chevaux et aux élèves ?

Un peu plus tard, alors que Margaux changeait la litière de Morello, Claire revint de son cours, bientôt rejointe par son amie Chloé. Le box de Sancha étant situé juste en face de celui de Morello, Margaux ne put qu'entendre leur conversation tandis que Claire attachait sa ponette dans l'allée pour la desseller.

— Qu'est-ce que Mlle Mitchell vient faire ici, à ton avis ? demanda Chloé d'une voix excitée. Tu crois qu'elle…

— … va reprendre sa place ? finit Claire. Tu lis dans mes pensées. C'est exactement ce que j'allais dire !

Margaux en avait assez de ces ragots ; cependant elle ne se sentait pas la force de leur clouer le bec.

— Et Mme Carmichael ? poursuivit Chloé. Tu crois qu'ils vont la renvoyer ?

— Ça, je n'en sais rien. En attendant, une chose est sûre, nous n'avons aucune chance de remporter le championnat tant qu'elle est là !

Margaux retint son souffle en guettant la réaction de Chloé. Mais ce fut Claire qui reprit la parole.

— Nous avons pour tradition de gagner à Chestnut Hill, et la direction doit prendre les décisions nécessaires pour que ça continue.

15

Margaux décida de nettoyer la selle de Morello à fond pour se changer les idées. Peine perdue ! Une pensée tournait en boucle dans sa tête : et si Mlle Mitchell était réellement venue à Chestnut Hill pour reprendre son poste ?

Abandonnant sa corvée, Margaux partit à la recherche de sa tante. Elle la trouva assise dans son confortable bureau, en train de travailler.

— Bonjour ! lança-t-elle en tapotant la porte grande ouverte du bout des doigts. Qu'est-ce que tu fais de beau ?

Annie releva la tête de ses papiers et se frotta les tempes.

— Oh, bonjour, Margaux. J'examine le résultat des sélections pour voir qui pourrait remplacer Flore aux prochains concours

Le cœur de Margaux manqua un coup.

— Quoi ? Qu'est-ce qui est arrivé à Mischief ?

— Calme-toi, il guérira. Seulement, la contusion est profonde, et Flore ne veut prendre aucun risque.

L'espace d'une seconde, Margaux se sentit soulagée,

avant de comprendre que c'était néanmoins une mauvaise nouvelle.

— Oh non ! Nous avons besoin de Flore dans l'équipe ! C'est elle qui réalise les meilleurs scores avec Mischief !

— C'est vrai. Mais elle veut être sûre qu'il est complètement guéri avant de le refaire sauter à ce niveau. Sa santé à long terme lui semble plus importante que quelques récompenses.

— Pourtant le vétérinaire n'avait parlé que de deux semaines de repos. Et sans Mischief, nous n'avons aucune chance de remporter le trophée interécoles.

— Ce n'est pas l'absence Mischief qui nous empêchera de remporter ce championnat, déclara Annie d'un ton soudain sévère. Si c'était le cas, nous ne mériterions pas de gagner, de toute façon.

— Oui, bien sûr, murmura Margaux en cherchant un moyen de résoudre le problème. Et pourquoi Flore ne monterait-elle pas un autre poney lors des prochains concours ? Je suis sûre qu'elle ferait des prouesses avec Sacha ou peut-être même avec Quince…

— Flore n'est pas comme ça. Elle aime la compétition, évidemment, mais son travail d'équipe avec Mischief passe avant tout pour elle. Je ne pense pas qu'elle acceptera de monter un autre cheval. J'ai déjà décidé d'intégrer Hélène, et il me reste à trouver une nouvelle remplaçante, ajouta-t-elle en se grattant l'oreille.

Chaque équipe de saut de Chestnut Hill se composait de quatre membres titulaires, plus une remplaçante. Margaux était celle de l'équipe junior, et Hélène Wright, celle des seniors. Cependant, les cinq cavalières devaient parti-

ciper au trophée interécoles, car les résultats prenaient en
considération les pourcentages des scores, et non pas les
points individuels. Ce qui signifiait que chaque école avait
tout intérêt à présenter une équipe de cinq concurrentes.

Margaux se pencha pour regarder la liste.

— Emma Swaisland monte bien. C'est dommage
qu'elle fasse de l'hyperventilation chaque fois qu'elle par-
ticipe à un concours, remarqua-t-elle sans voir le regard
admiratif que lui jetait sa tante. Et on ne peut plus compter
sur Charlotte Bauer maintenant qu'elle fait de l'humani-
taire le week-end… Claire Houlder ! s'écria-t-elle en voyant
le nom de la râleuse sur la liste. Bien sûr ! C'est elle qu'il
faut prendre !

Sa tante la dévisagea avec surprise. Une fois de plus,
Margaux ne s'en rendit pas compte, perdue dans ses
pensées.

« Ce n'est pas que j'ai envie de faire plaisir à Claire, mais
c'est la solution idéale. Si Tante Annie la prend dans
l'équipe, elle arrêtera de se plaindre. Sans elle et sa clique
pour attiser le mécontentement, tout rentrera dans l'ordre,
surtout si Annie cesse de jouer les sergents instructeurs. En
plus, Claire est bonne cavalière, sans doute la meilleure de
toutes celles qui n'ont pas été sélectionnées… »

Sa tante secoua la tête.

— Je sais que Claire est douée, et elle ne s'est pas mal
comportée lors de la sélection. Toutefois, cela ne suffit pas
pour mériter d'intégrer une équipe. Et comme Anita
Demarco s'est aussi bien défendue, avec seulement quatre
fautes, comme Claire, je pense que je vais lui donner une
chance.

— Mais...

Margaux se tut devant l'expression fermée d'Annie, qui indiquait clairement que sa douce tante avait laissé la place à la sévère directrice du centre équestre.

— Très bien, fit-elle. C'était juste une idée comme ça. Alors, à plus tard !

Elle s'empressa de partir avant que sa tante ne remarque son angoisse. Parce que, si Claire avait été ulcérée de ne pas avoir été prise dans l'équipe lors de la sélection, Margaux n'osait même pas imaginer comment elle réagirait quand elle apprendrait que Mme Carmichael l'avait éliminée une nouvelle fois.

16

— On est rentrées ! cria Mélanie en ouvrant la porte de la chambre de Margaux, des sacs dans chaque main et une nouvelle ceinture en cuir autour du cou.

Pauline et Laurie la suivaient, les bras chargés de paquets, elles aussi.

Allongée à plat ventre sur son lit, Margaux faisait des exercices de maths.

— C'est pas trop tôt ! s'écria-t-elle en se levant d'un bond. J'ai cru que vous ne reviendriez jamais.

— Quel dommage que tu n'aies pas pu nous accompagner ! soupira Laurie en posant ses sacs près du lit de Pauline. Inutile de compter sur ces deux-là quand on veut s'acheter des fringues potables !

— Quoi ? protesta Pauline, jouant les outragées. Qui a trouvé les jolies boucles d'oreilles, bradées à trente pour cent de leur valeur ?

— D'accord, d'accord. Je retire ce que j'ai dit. Tu es une championne du shopping. Seule Mélanie est nulle.

Celle-ci opina avec un large sourire :

— Ça, c'est bien vrai ! Et j'en suis fière.

Margaux savait que ses amies plaisantaient. Mélanie était toujours bien habillée, même si elle était beaucoup plus classique que les *fashion victims* de Chestnut Hill. Elle avait un style bien à elle, influencé par le western, qui avait fait quelques adeptes dans l'école. Depuis la fête du rodéo qu'elle avait organisée récemment, Margaux avait noté un nombre croissant de filles qui se promenaient sur le campus en bottes de cow-boy.

— Alors, qu'est-ce que vous avez acheté ? demanda-t-elle. Tout est pour la soirée, ou vous avez dévalisé les magasins en prévision des fêtes des deux prochaines années ?

— Oh, on a voulu parer à toute éventualité, répondit Mélanie en vidant un de ses sacs sur le lit de Pauline. J'ai dépensé plus en jeans et en babioles que pour ma robe. Mais il faut d'abord que tu voies ce que Laurie a acheté.

Laurie secoua la tête, ce qui n'empêcha pas Pauline de lui arracher son sac des mains et d'en sortir une robe scintillante et fluide. Elle la drapa sur son amie, qui sourit timidement tandis que Margaux poussait un hurlement de loup.

Le velours bleu nuit faisait ressortir le bleu clair de ses yeux, et Margaux n'avait pas besoin que Laurie l'enfile pour savoir que le haut drapé à petites bretelles et la jupe large serait du plus bel effet sur sa silhouette fine.

— Elle est géniale, s'émerveilla-t-elle. Elle est à la fois discrète et stupéfiante… Comme toi, Laurie.

— Elle me plaît beaucoup, reconnut Laurie. Évidemment, ça n'a rien à voir avec les robes de couturier de certaines, ajouta-t-elle avec un coup d'œil éloquent vers le lit d'Audrey.

— On s'en fiche ! Tu n'es pas obligée de porter des marques pour te mettre en valeur, et il ne s'agit pas d'une compétition.

Le mot « compétition » réveilla brusquement la mémoire de Margaux. Dans l'excitation du retour de ses amies, elle avait oublié de leur raconter les dernières nouvelles. Elle avait hâte de voir leur réaction.

— Devinez qui est venu à Chestnut Hill aujourd'hui ? Elizabeth Mitchell ! lâcha-t-elle après un temps d'arrêt pour ménager ses effets.

— Qui ? répéta Pauline en plissant le nez, l'air perdu par ce changement de conversation.

— La directrice d'Allbrights ? souffla Laurie. Qu'est-ce qu'elle venait faire ici ?

— Elle m'a dit qu'elle avait rendez-vous avec Mme Starling. Et vous ne savez pas la meilleure ? Le bruit court qu'elle va reprendre son poste !

— Mais nous avons Mme Carmichael, murmura Pauline, qui avait toujours du mal à suivre.

— Justement ! rétorqua Margaux.

Laurie laissa tomber sa robe sur le lit de Pauline.

— Depuis quand prêtes-tu l'oreille aux ragots d'écurie, Margaux ? C'est facile de raconter n'importe quoi, encore faut-il avoir des preuves !

Margaux secoua la tête.

— Vous ne vous rendez pas compte de la gravité de la situation, les filles ! Pourquoi voudriez-vous que Liz Mitchell vienne rencontrer notre directrice, une semaine après l'un des plus mauvais concours de l'histoire de Chestnut Hill ? Qu'est-ce que ça pourrait être d'autre ?

— Eh bien, moi, je vois des tas d'explications, rétorqua Laurie. Cela concerne peut-être le trophée interécoles. Ou alors, elle veut racheter un de nos chevaux pour Allbrights. Sans compter que sa visite peut n'avoir aucun rapport avec l'école ou l'équitation. Mme Starling et elle se connaissent depuis longtemps, non ?

— Peut-être, fit Margaux, agacée que ses amies ne la prennent pas au sérieux. Et si vous vous trompiez ? Si ces rumeurs étaient fondées, pour une fois ? Si Mme Mitchell était venue négocier la reprise de son poste ? Et si la mère de Claire était partie en guerre après notre échec de dimanche ? Et si le travail de ma tante était réellement remis en question ?

— Dans ce cas, je ne vois pas ce qu'on pourrait y faire, remarqua Pauline en haussant les épaules. Ça m'étonnerait que Mme Starling nous consulte sur le choix du personnel.

Margaux ouvrit la bouche, puis la referma en s'apercevant que son amie avait raison.

— Je ne vois pas pourquoi je me crèverais à étudier juste parce que tu veux impressionner tes parents avec des A+ dans toutes les matières, bougonna Margaux alors qu'elle se rendait à la bibliothèque avec Mélanie, le lendemain.

Situé au centre du campus, ce bâtiment octogonal ultra-moderne tranchait autant avec les lignes classiques de la vieille demeure coloniale et de la chapelle, qu'on voyait de l'autre côté de la pelouse, qu'avec les bâtiments récents mais plus traditionnels qui abritaient les dortoirs et le centre de loisirs. Margaux aimait beaucoup la bibliothèque, qui lui apparaissait comme une rebelle ; elle la faisait penser à une fille qui irait au bal des débutantes en jean et en blouson de cuir.

— Tu devrais me remercier, la taquina Mélanie. Tu as raté la plupart des cours de la semaine dernière, alors il est temps de rattraper ton retard, ma petite !

Margaux fit la grimace tout en sachant que son amie avait raison.

Toutes les cabines individuelles du rez-de-chaussée étaient occupées, comme chaque dimanche après-midi, quand les élèves se souvenaient subitement qu'elles avaient des contrôles à réviser ou des devoirs à faire pour le lundi. Elles trouvèrent une cabine double libre, dans le fond. À l'une des grandes tables voisines, Margaux aperçut Justine Jones installée devant un tas de livres, de cartes et de papiers, en compagnie d'Anaïs Sweet qui, elle, n'avait qu'un manuel ouvert devant elle. Les deux filles bavardaient plus qu'elles ne travaillaient. Essayant de faire abstraction de leurs chuchotements, Margaux ouvrit son livre de français.

Un quart d'heure plus tard, elle avait la tête qui tournait.

— Je n'arrive pas à mémoriser la conjugaison de ces fichus verbes ! Je ferais mieux d'envoyer un mail à Henri pour l'appeler au secours.

— Tu as eu des nouvelles de *Monsieur* Henri récemment ? demanda Pauline avec un accent français exagéré.

— Non, pas grand-chose. Juste un petit mail quand j'étais malade. Je lui ai écrit hier pour lui raconter les problèmes de Tante Annie, et j'attends sa réponse. Je devrais…

Elle s'arrêta net en entendant prononcer « Liz Mitchell » à la table voisine et tendit l'oreille.

— … et si tu veux mon avis, c'est notre seule chance de remonter le niveau de nos équipes, disait Justine. Sinon, on peut dire adieu au trophée interécoles.

— C'est génial ! s'exclama Anaïs en secouant ses longs cheveux blonds. Je n'arrive pas à le croire !

— Eh si ! Il y a enfin quelqu'un qui a décidé de réagir ! affirma Justine, les yeux brillants.

« Réagir ? songea intérieurement Margaux. Qu'est-ce que ça peut vouloir dire ? »

Elle se pencha pour en entendre davantage, mais Justine avait baissé la voix. Elle ne réussit qu'à glaner quelques mots sans suite : « bureau », « signatures », et « soutien de tout le monde ».

Elle fronça les sourcils. Au début, elle avait pensé que Justine parlait du rendez-vous de Mlle Mitchell avec la directrice. Or cela semblait bien plus grave…

Quelques minutes plus tard, Justine regarda sa montre.

— Je dois y aller ! s'écria-t-elle en rassemblant ses affaires. J'avais promis à Julia de la retrouver à l'écurie il y a dix minutes.

Dès qu'elle eut disparu, Margaux recula sa chaise et se leva.

— Faut que j'aille parler à Anaïs, dit-elle à Mélanie. Elle est toujours sympa, même avec les petites de cinquième comme nous. Je dois savoir ce qui se passe !

— Attends ! Tu es sûre que…

Trop tard ! Margaux, rongée par l'incertitude, se précipitait déjà vers le siège que Justine venait de libérer.

— Salut, dit-elle.

— Salut, répondit Anaïs, l'air un peu surprise de la voir.

Son ton parut à Margaux moins cordial que d'habitude.

— Quoi de neuf ?

— Justement, c'est ce que je voulais découvrir, rétorqua Margaux en se jetant à l'eau. De quoi discutiez-vous à l'instant avec Justine ? demanda-t-elle en croisant les bras sur sa poitrine.

Aussitôt, le visage d'Anaïs rosit.

— Je ne vois pas de quoi tu veux parler, marmonna-t-elle. Oh ! s'exclama-t-elle en jetant un regard sur son poignet, pourtant sans montre. Tu as vu l'heure ? Je dois y aller, moi aussi.

Elle ramassa son livre et détala sans se retourner.

— Qu'est-ce qu'elle a dit ? voulut savoir Mélanie quand Margaux revint vers leur cabine.

— Rien, répondit-elle d'un ton sombre. Mais c'était très révélateur !

17

— Mademoiselle Walsh, pourriez-vous me rendre un service ?

Margaux finit de glisser son cahier de musique dans son sac et leva la tête vers son professeur. Grand, mince, les cheveux rares grisonnants, le Dr Jeremy Hurst était de ces enseignants passionnés qui savent captiver leurs élèves. Et Margaux, malgré sa voix de corne de brume (*dixit* Mélanie), comptait la musique au nombre de ses matières préférées, d'autant plus que le professeur appréciait beaucoup ses efforts au violon.

— Bien sûr, monsieur. De quoi s'agit-il ?

— Je devrais porter cette enveloppe au bureau de la directrice moi-même, mais mes élèves de première vont arriver d'une seconde à l'autre. Ça ne vous ennuierait pas de la déposer dans la boîte de Mme Starling en allant déjeuner ?

— Pas du tout. Avec plaisir. À mercredi, monsieur.

Margaux prit l'enveloppe et la glissa dans la poche de son sac à dos. Elle prévint ses amies qu'elle les retrouverait à la cafétéria, puis elle traversa la pelouse en direction de la vieille demeure coloniale qui abritait les bureaux de l'école. Alors qu'elle entrait en trombe dans le hall, elle faillit percuter Mme Danby, l'assistante de la directrice.

— Oh, pa… pardon ! bafouilla-t-elle.

Mme Danby faisait partie des rares personnes qui l'intimidaient. La secrétaire, qui était d'une efficacité redoutable, lui donnait l'affreuse impression de lire dans ses moindres pensées.

— En quoi puis-je vous aider, mademoiselle Walsh ?

Impressionnée une fois de plus par la faculté de Mme Danby de se souvenir du nom de chaque élève, Margaux lui tendit l'enveloppe d'une main tremblante.

— Le professeur Hurst m'a demandé de mettre cette lettre dans le courrier du Dr Starling.

Mme Danby fit un geste vers son bureau, flanqué d'une spacieuse salle d'attente.

— Mettez-la dans la corbeille des arrivées. Je m'en occuperai dès mon retour.

Tandis que Mme Danby s'éloignait dans un claquement de talons, Margaux se rappela subitement que c'était le jour des pizzas à la cafétéria. « Pourvu que les copines pensent à me prendre une part au salami. Sinon, je devrais me contenter d'une vulgaire pizza au fromage ! » songea-t-elle.

Elle courut vers le bureau, posa l'enveloppe sur le dessus de la corbeille et amorçait un demi-tour lorsque son cerveau interpréta ce qu'elle venait de lire machinalement. Elle avait rêvé, ou elle avait vu le nom de Claire Houlder sur le haut du tas ?

Elle retira l'enveloppe et retint un cri. C'était bien le nom de la râleuse qui était inscrit en dernière position sur la liste des demandes de pétition !

Margaux fit le tour du bureau en espérant que Mme Dandy ne reviendrait pas tout de suite. D'une main tremblante, elle saisit la liste, fixée sur un bloc-notes, et la parcourut des yeux. Mais elle ne vit aucune mention du sujet de la requête. Seuls étaient précisés le nom de la demandeuse et la date, qui était celle du jour même.

« Claire n'est pas du genre à faire une pétition pour avoir plus de tisanes à la cafétéria », pensa-t-elle, paniquée. Elle se souvint alors de la conversation de Justine avec Anaïs, où elle avait surpris les mots « signatures » et « il faut réagir ». « Claire parlait donc sérieusement quand elle disait qu'elles devaient tout faire pour récupérer Mlle Mitchell ! »

— Mademoiselle Walsh ! Qu'est-ce que vous faites là ?

Margaux sursauta et leva les yeux sur Mlle Danby, qui la fixait depuis le seuil.

— Euh... eh bien... en voyant le formulaire de demande de pétitions dans la corbeille, je me suis souvenue que je voulais en faire une pour... pour demander des tisanes plus variées à la cafétéria.

— Très bien. Cependant j'aurais préféré que vous attendiez mon retour. Où vous croyez-vous ? Dans un self-service ?

— Je vous prie de m'excuser, murmura Margaux en sortant de derrière le bureau.

Pressée de raconter sa découverte à ses amies, elle piétinait pendant que Mlle Dandy photocopiait un formulaire propre pour le lui donner.

— Et maintenant ajoutez votre nom et la date d'enregistrement de votre demande, marmonna la secrétaire sans lâcher le bloc-notes.

Margaux obéit. Tandis qu'elle inscrivait son nom sous celui de Claire, elle eut brusquement une idée si parfaite, si géniale, que ses mains recommencèrent à trembler. Elle glissa le formulaire dans son sac, se força à quitter le bureau et à traverser le hall d'un pas tranquille. Une fois dehors, elle fila ventre à terre.

18

— … Et je suis sûre qu'elle espère se débarrasser ainsi de Tante Annie, déclara Margaux, hors d'haleine. On doit faire quelque chose !

— Bon, je reconnais que c'est inquiétant, acquiesça Mélanie. Une chose est sûre, Claire n'est pas du style à faire une pétition pour sauver les baleines. Mais on ferait peut-être bien de vérifier ce qu'elle mijote avant d'intervenir.

Laurie hocha la tête :

— Je suis d'accord avec toi. Surtout que ce n'est pas une requête des élèves qui risque de faire perdre son boulot à Mme Carmichael.

— Même si la mère de Claire influence Mme Starling en coulisse ? insista Margaux avec une grimace tout en coupant sa pizza au salami. Vous ne voyez vraiment pas la gravité de la situation, les filles ! Que faut-il pour vous convaincre ? Que Mme Carmichael reparte au Kentucky avec Morello et Quince ?

— Inutile de te mettre dans un état pareil, Margaux. Tu sais bien qu'aucune de nous ne souhaite en arriver là.

— Dans ce cas, on doit se bouger ! J'ai déjà une petite idée…

— Laquelle ? demanda Pauline.

— Nous allons lancer une pétition de notre côté, pour dire que nous voulons garder Mme Carmichael quoi qu'il arrive. Et je suis sûre que nous obtiendrons plus de signatures que Claire et sa clique.

— Je ne suis pas certaine que ce soit une bonne idée, murmura Pauline, l'air perplexe. Si tu fais ça, Claire et les autres vont vite l'apprendre.

— Et alors ! s'écria Margaux en la fusillant du regard. Je suis prête à défendre mes convictions, pas toi ?

— Doucement, Margaux ! intervint Laurie. Ce n'est pas parce que tu angoisses qu'il faut te défouler sur Pauline.

Margaux fit volte-face, se souvenant brusquement du mystérieux rendez-vous de Laurie avec Audrey.

— D'accord ! Nous savons toutes que Pauline est une pacifiste convaincue. Mais toi, quelle est ton excuse, Laurie ? Audrey t'aurait-elle persuadée que ma tante doit partir ?

— Margaux ! protesta Mélanie. J'espère que tu plaisantes !

— Moi aussi ! déclara sèchement Laurie, le visage écarlate. Je sais que c'est dur pour toi de ne pas être mise au courant des petits secrets des autres, Margaux, mais je pensais que tu me connaissais mieux que ça.

Margaux s'en voulait déjà de ce qu'elle avait dit ; cependant elle ne pouvait plus reculer.

— Pareil pour moi ! lança-t-elle. Dire que je croyais sincèrement que tu avais définitivement renoncé à faire des mystères avec tes meilleures amies !

Laurie se leva et partit sans un mot. Margaux se mordit la lèvre, comprenant qu'elle était allée trop loin. Quand elle avait fait la connaissance de Laurie, elle avait été gênée par ses manières réservées et l'avait prise pour une cachottière. En fait, Laurie n'avait pas envie qu'on sache qu'elle était venue à Chestnut Hill grâce à une bourse d'études et qu'elle était la fille d'un simple commerçant. Après ces débuts difficiles, il leur avait fallu du temps pour tisser des liens de confiance réciproque. Là, Margaux avait bien peur d'avoir bêtement compromis leur amitié.

— Laurie !

Pauline se leva d'un bond en jetant un regard lourd de reproches à Margaux et courut après leur amie.

— Bien joué, Walsh ! laissa tomber Mélanie d'un ton sarcastique avant d'enfourner un morceau de fromage fondu. Tu as le don pour dire ce qu'il ne faut pas !

Margaux lui rendit son regard assassin, partagée entre les remords et le dépit.

— Ça ne t'intéresse pas de savoir ce qu'elles se sont raconté avec Audrey ?

— Bien sûr que si. Mais tu connais Audrey. Elle considère tout ce qui la concerne comme top secret. Peut-être qu'elle voulait juste que Laurie tresse la crinière de Bluegrass pour le prochain concours. Ou elle avait besoin d'un coup de main en maths.

— Tu parles ! Elle a des A partout !

Mélanie leva les yeux au ciel :

— Ce que je voulais dire, c'est qu'il ne faut pas imaginer le pire juste parce qu'il s'agit d'Audrey et qu'elle a fait jurer le silence à Laurie.

— Tu es folle ou quoi ? C'est bien pour ça qu'on doit se méfier ! Tu as déjà vu Audrey faire un truc sympa ? Pense à cette pétition ! Et si elle avait convaincu Laurie de la signer ?

— Tu as raison. C'est ça ! Audrey a promis à Laurie qu'elle ferait des exploits en concours d'obstacle si elle signait cette fichue pétition pour le retour de Mme Mitchell !

Margaux écarquilla les yeux :

— Oh, je n'y avais pas pensé ! Tu viens peut-être de taper dans le mille ! Audrey sait que Laurie est une cavalière prodigieuse, et elle…

Mélanie l'arrêta d'un geste :

— T'emballe pas, Walsh, je plaisantais. Déjà, aussi longtemps que Laurie montera Tybalt, on ne pourra rien garantir quant à ses résultats en concours. C'est vrai, il est beaucoup trop instable. Laurie est une cavalière géniale, mais elle n'aura pas l'occasion de le prouver tant qu'il paniquera devant les juges à la vue d'un simple crottin !

Margaux ne put s'empêcher de sourire : c'était exactement ce qu'il avait fait lors d'un concours au début du trimestre.

— D'accord, tu marques un point, reconnut-elle, ponctuant sa réponse d'un coup de cuillère sur la table. Mais Audrey n'est pas du genre à s'embarrasser des détails, je parie qu'elle n'y a pas pensé. Tu vois, c'est pour ça qu'on devrait suivre mon idée de pétition. Pas question de laisser l'ennemi nous coiffer sur le poteau !

— Margaux ! soupira Mélanie. Si j'accepte de t'aider pour la pétition, tu me promets d'aller présenter des excuses à Laurie et à Pauline pour toutes les horreurs que tu leur as sorties ?

— Bien sûr ! C'est comme si c'était fait !

— Et une dernière chose : tu cesses aussi de harceler Laurie pour savoir ce qu'Audrey lui a dit.

— Si tu insistes…

Margaux ne comprenait pas pourquoi Mélanie et Pauline n'étaient pas plus curieuses que ça. Tant pis ! Ce qui comptait, c'était que ses amies la soutiennent dans sa démarche.

Pleine d'une énergie nouvelle, elle se remit à espérer. Rester assis à tendre le dos n'avait jamais fait avancer personne. À présent qu'elles avaient décidé de passer à l'action, Margaux se retrouvait dans son élément. Elle sentit son cœur battre plus fort à l'idée du travail qui les attendait. La contre-offensive était lancée !

19

— Oh, Morello ! s'écria Margaux en s'arrêtant sur le seuil de l'écurie pour serrer le poney dans ses bras. Tu m'as trop manqué !

— Franchement, Margaux ! lança Audrey, agacée, en retenant Bluegrass pour l'empêcher de percuter l'arrière-train de Morello. Ce n'est pas comme si tu ne l'avais pas vu depuis un an. Ou comme s'il avait déprimé de ne pas porter ton gros popotin la semaine dernière.

Margaux ignora la remarque désagréable et embrassa le poney sur les naseaux avant de le conduire vers le mon-toir. À sa surprise, elle eut un peu de mal à se mettre en selle. Elle ne sentait déjà plus ses jambes.

— Waouh ! s'exclama-t-elle en se penchant pour régler ses étriers. Je ne savais pas qu'on pouvait perdre ses muscles en quoi... sept jours ! Morello, il va falloir que tu me ménages, aujourd'hui, mon grand !

Elle jeta un regard vers la snob de service, s'attendant à un autre commentaire méchant. Elles étaient seules devant l'écurie : les autres élèves du cours intermédiaire finissaient de seller leurs montures à l'intérieur. L'espace d'un instant, Margaux fut tentée d'interroger Audrey sur son mystérieux échange avec Laurie. Après tout, elle n'avait pas promis de la laisser tranquille, elle…

Mais Audrey ne s'occupait plus d'elle : le front plissé, elle s'appliquait à ajuster la muserolle de Bluegrass. À cet instant, Mélanie arriva avec Colorado, suivie de Laurie et Tybalt. Margaux les appela d'un geste. Comme elle l'avait promis à Mélanie, elle avait présenté à ses amies des excuses, qu'elles avaient acceptées immédiatement, même si depuis Laurie restait un peu distante avec elle.

La leçon commença. Le temps de s'échauffer, Margaux avait les jambes en compote. Elle s'accrochait, déterminée à retrouver sa forme le plus vite possible.

Heureusement, Morello était d'excellente humeur. Il resta calme et docile sur le plat et, dès qu'ils commencèrent à sauter, il dressa les oreilles et aborda chaque obstacle avec enthousiasme.

Bluegrass, en revanche, ne semblait pas dans un bon jour. La première fois qu'Audrey voulut le diriger vers la série d'échauffements de trois éléments préparée par Mme Carmichael, le beau rouan hésita, ralentit et secoua la tête, prêt à ruer.

— Recommence, Audrey, demanda l'instructrice. Et, cette fois, veille à le pousser en avant. Donne-lui un petit coup de cravache quelques foulées avant l'obstacle, et insiste si tu le sens ralentir.

Audrey arrêta son cheval.

— Utiliser la cravache de cette manière ne servira à rien avec lui. Il est habitué à allonger sa foulée quand je lui donne un petit coup, et cela risque de nous faire rater notre point d'appel.

— Très bien, répondit Mme Carmichael sans se départir de son calme. Je comprends. Mais ce qui compte, c'est de lui faire franchir l'obstacle. Et comme ceux-ci sont très bas, le point d'appel n'a pas beaucoup d'importance. Alors, je te prie au moins d'essayer, d'accord ?

— Non ! répliqua Audrey d'un ton excédé. Je vous dis que ça ne marchera pas ! Au contraire, ça le perturbera, et ça ira à l'encontre de ce qu'il a appris.

— D'accord, soupira Mme Carmichael. Dans ce cas, mets-toi au bout de la file. Heidi ? C'est à toi !

Margaux regarda Audrey avec inquiétude : Bluegrass se comportait toujours à la perfection pendant les cours, surtout quand il s'agissait de saut. Que lui arrivait-il ? Décidément, tout le monde craquait. D'abord sa tante, ensuite ses amies, et maintenant Bluegrass. Quel vent de folie soufflait sur Chestnut Hill ?

— Tu es prête ? lança Mélanie quarante minutes plus tard en s'arrêtant devant le box de Morello.

— Je vous rejoins, ne m'attendez pas, répondit Margaux, qui retirait des brins de paille de la queue du poney. Je voudrais le chouchouter un peu : il a été si gentil avec moi, aujourd'hui !

Mélanie sourit et caressa le nez du cheval.

— D'accord. Alors, on se retrouvera au dortoir.

Margaux attendit que ses amies s'éloignent et étreignit Morello.

— Enfin seuls ! murmura-t-elle avec un soupir de satisfaction.

C'était bon de pouvoir oublier quelques instants les complots, les pétitions, les devoirs et tous ses tracas, pour ne penser qu'au poney qu'elle aimait le plus au monde.

Deux minutes s'étaient à peine écoulées lorsqu'elle entendit Mélanie l'appeler depuis le seuil de l'écurie. Elle se pencha par-dessus la porte du box et vit son amie accourir, le visage rouge, hors d'haleine.

— Il se passe un truc incroyable. Viens vite voir !

Sans lui laisser le temps de poser la moindre question, elle repartit en courant. Margaux la suivit, partagée entre la curiosité et l'inquiétude.

Elle aperçut Pauline et Laurie debout devant la carrière où se déroulait le cours du niveau avancé des terminales. Mme Starling y assistait, elle aussi, appuyée à la barrière, tandis qu'au centre de la piste, Annie Carmichael donnait ses instructions aux cavalières. Margaux se posta à côté de ses amies et jeta un regard interrogateur à Mélanie.

— Attends !

Margaux suivit des yeux Claire Houlder, qui lançait Sancha au trot vers un parcours de quatre obstacles. La jument ouvrit la bouche en franchissant la barre de réglage avant d'aborder le premier obstacle, un simple croisillon. À la réception elle rejeta la tête en arrière avec irritation, puis repartit moitié au trot, moitié au galop.

— Zut ! fit Margaux. Si elle ne réagit pas, elle va...

Elle se tut : Sancha s'élançait en tanguant au-dessus du deuxième obstacle, un vertical, dont elle accrocha la barre avec ses antérieurs.

— Ça ne peut pas marcher ! cria Claire en sortant son cheval de la combinaison. Cette fichue barre de réglage doit être mal placée. Vous êtes sûre que vous avez bien calculé la distance, madame Carmichael ?

— L'écartement est bon, Claire, affirma Annie Carmichael. Le but de cet exercice est de travailler le galop entre les obstacles. Comme je l'ai expliqué, tu dois partir à un trot soutenu pour que ta ponette galope dès la réception. Et fais bien attention à lui rendre les rênes pendant le saut.

Margaux leva les yeux au ciel :

— Bon sang, on apprend ça la première fois qu'on saute !

Claire se remit au bout de la file sans cesser de marmonner. La cavalière suivante était Colette Prior, qui montait sur Kingfisher, un warmblood bai clair, aussi facile que doué. Le couple franchit au trot rapide la barre de réglage. Mais au-dessus du croisillon, Margaux vit la jambe de la cavalière glisser en arrière, ce qui lui parut bizarre, car Colette montait à la perfection et avait toujours une excellente assiette, même lorsqu'elle affrontait des obstacles trois fois plus hauts que celui-là.

Kingfisher se réceptionna la tête levée et bondit en avant. Au lieu des deux longues foulées qu'il était censé effectuer avant le vertical, le hongre ne put réaliser qu'une cahotante foulée et demie.

Margaux sentit son cœur s'arrêter en comprenant ce qui se passait.

— Elles le font exprès ! chuchota-t-elle à Mélanie, indignée. Kingfisher n'aurait jamais commis une erreur pareille tout seul. Colette l'a jeté volontairement sur l'obstacle pour qu'il rate ses foulées.

Mélanie opina, les yeux étincelants de colère tandis que Kingfisher renversait les deux obstacles suivants en s'ébrouant et en roulant des yeux.

— Claire et les deux autres tricheuses, Colette et Chloé, ont commencé ce cirque dès l'échauffement. Chloé a même réussi à faire ruer Hardy !

— Elles profitent de ce que Mme Starling les regarde ! commenta Laurie.

— Elle ne va quand même pas se laisser avoir ? souffla Pauline, inquiète. C'est vrai, quoi, j'ai vu Anita et Carole effectuer cet exercice sans aucun problème !

— Espérons-le, murmura Laurie d'un ton guère optimiste.

Sur la piste, Mme Carmichael finissait de remettre les barres.

— Très bien, dit-elle avec calme. Claire, Chloé et Colette, vous allez réessayer. Je me rends bien compte que cet exercice demande plus d'efforts que ceux dont nous avions l'habitude jusqu'à présent, mais je sais que vous en êtes tout à fait capables. Alors, appliquez-vous, d'accord ?

Cette fois, Chloé et Hardy exécutèrent le parcours sans rien renverser, mais sans aucune élégance : le puissant hongre alezan sauta le premier élément trop long et rajouta des foulées pour les deux suivants avant de réussir enfin un saut correct sur le dernier.

— Cet exercice est infaisable ! déclara Chloé en rejoignant le groupe au trot.

— Si nous avons le temps, tu recommenceras, répondit Annie. Claire, tu es prête ?

Margaux regarda avec stupeur Claire imposer à Sancha un trot rapide et décousu. La jument arriva trop vite sur le premier élément et se retrouva déstabilisée pour le suivant. Claire arrêta sa monture au beau milieu de la combinaison.

— Je ne peux pas continuer ! glapit-elle. Ce parcours est beaucoup trop dangereux !

— Parfait, répondit Mme Carmichael, imperturbable. Fais faire à ta monture quelques allers-retours pour la détendre, et ensuite ramène-la à l'écurie.

Sans un mot, Claire fit pivoter sa ponette et la conduisit vers le fond de la carrière. En passant devant le groupe, alors qu'elle tournait le dos à Mme Carmichael, elle fit un clin d'œil à Colette, qui se dirigeait à son tour vers les obstacles.

Margaux planta ses ongles dans ses paumes en fusillant Claire et ses amies du regard.

— Non mais, quelles garces ! Elles ont décidé de faire passer ma tante pour une incapable !

— Ne t'inquiète pas ! fit Mélanie. Mme Starling a bien vu que les autres n'avaient aucun problème. Elle n'est pas stupide !

— Je sais, murmura Margaux, un peu rassurée : la directrice de Chestnut Hill était une cavalière chevronnée.

Elle regarda les autres qui attendaient leur tour. Carole considérait les obstacles en fronçant les sourcils ; Lise Walters suivait Claire d'un œil inquiet. Anita et Hélène parlaient à voix basse.

Margaux se mordilla la lèvre : manifestement, l'éclat de Claire avait déstabilisé tout le monde.

20

— Mademoiselle Walsh. Mademoiselle Walsh ? Mademoiselle Walsh !

Margaux, qui gribouillait sur son cahier, releva la tête en clignant des yeux. M. Westrop, son professeur de géographie, la fixait d'un regard sévère, fort peu habituel chez lui. Elle remarqua aussi que Pauline la dévisageait avec anxiété de l'autre côté de l'allée.

— Euh… présente ? répondit-elle d'un ton hésitant.

Le professeur croisa les bras, l'air contrarié.

— Il vous faut tout ce temps pour vous rappeler la capitale de l'Équateur, ou espériez-vous me faire croire que vous aviez sombré dans un coma profond ? ironisa-t-il.

Quelques petits gloussements fusèrent dans la classe ; il y eut même un éclat de rire bruyant : ça, c'était Patty, Margaux l'aurait parié.

— La capitale de l'Équateur ? répéta-t-elle. Eh bien, c'est Quito.

— Parfait !

Elle s'affaissa sur son siège avec un soupir de soulagement tandis que M. Westrop passait à sa voisine. On était mardi, et Margaux avait beaucoup de mal à se concentrer. La veille au soir, elle avait rédigé avec Mélanie le texte de leur pétition de soutien à sa tante, et ce matin, avant le petit déjeuner, elles avaient commencé la collecte des signatures. Margaux y avait mis un tel acharnement qu'elle n'avait même pas pris le temps d'avaler un petit pain, et à présent la tête lui tournait.

Même si elle refusait de l'admettre, le manque d'enthousiasme de Pauline et de Laurie commençait à la gagner. La première trouvait l'idée de pétition mauvaise ; quant à la deuxième, elle se renfrognait dès que Margaux abordait le sujet. En plus, à peine une fille sur cinq avait accepté de signer. Certes, Margaux ne s'attendait pas à voir s'impliquer les élèves qui ne pratiquaient pas l'équitation ; cependant elle avait été étonnée par le nombre de cavalières qui avaient refusé tout net de s'engager. Certaines souhaitaient ouvertement le retour de Mme Mitchell, tandis que d'autres étaient convaincues de ne pouvoir influencer les décisions de la direction. Mais la raison la plus souvent invoquée avait été l'extrême sévérité de Mme Carmichael ces derniers temps. Après avoir entendu Léa Bates, du cours intermédiaire, se plaindre du calcul des foulées sur le dernier exercice, Margaux s'était demandé si elle ne perdait pas son temps. « Pourquoi Annie a-t-elle choisi ce moment précis pour jouer les dragons ? Elle veut se faire virer ou quoi ? » se demandait-elle.

Seule la perspective du bal du Printemps, qui devait avoir lieu samedi suivant, parvenait à la distraire de ses préoccupations. Même si elle avait été privée de shopping le week-end précédent, cela ne l'avait pas empêchée de se dégoter une superbe tenue. Avec un frisson d'impatience, elle s'imaginait dansant toute la nuit avec ses camarades et sa bande de copains de St Kits. Elle avait hâte de voir la tête de Caleb devant la nouvelle robe de Laurie. Par ailleurs, elle avait élaboré avec Mélanie divers stratagèmes pour laisser Pauline et Josh en tête à tête. Elle se réjouissait également de revoir son cousin Nat, qu'elle retrouvait toujours avec un immense plaisir.

À la sortie de la classe, son sourire s'effaça à la vue d'une affiche du trophée interécoles accrochée dans le couloir. « J'espère seulement que d'ici samedi nous serons toutes d'humeur à faire la fête », songea-t-elle, la gorge serrée.

21

— Salut, Tybalt ! lança Margaux afin de ne pas surprendre le poney en surgissant devant lui.

Il était attaché dans l'allée, déjà sellé. Laurie ne devait pas être loin. En dehors de son amie, très peu d'élèves montaient Tybalt en cours, et personne n'aurait eu l'idée de le prendre en dehors des leçons.

Bluegrass attendait devant le box suivant, sellé lui aussi. Margaux lui donna une tape amicale sur la croupe en passant. On était mercredi après-midi, les cours étaient terminés ; elle était venue voir Morello en coup de vent avant de remonter travailler avec Mélanie au dortoir.

« Si Laurie se trouve dans les parages, se dit-elle, autant en profiter pour avoir une petite conversation avec elle pour dissiper notre tension une bonne fois pour toutes. »

Elle se précipita vers la sellerie et faillit percuter Laurie, qui se tenait sur le seuil.

— Ah, te voilà ! s'écria-t-elle avant de s'apercevoir que son amie n'était pas seule. Oh, excusez-moi, madame Carmichael !

— Si ça ne t'ennuie pas, on aimerait bien finir notre conversation, fit Audrey, qu'elle n'avait pas vue non plus.

Margaux eut soudain la désagréable impression d'arriver comme un chien dans un jeu de quilles.

— Y a-t-il un cours supplémentaire qui m'aurait échappé ? demanda-t-elle, dans l'espoir de découvrir ce qui pouvait réunir ces trois personnes si opposées.

— Non, Margaux, répondit sa tante, une pointe d'exaspération dans la voix. Audrey et Laurie voudraient juste partir en promenade.

— En promenade ? répéta Margaux.

Le souvenir de la mystérieuse conversation entre les deux filles lui revint. Cette nouvelle rencontre entre Audrey et Laurie lui parut aussitôt suspecte. Elle trouvait déjà bizarre qu'elles se parlent, et voilà qu'elles montaient ensemble ?

— Franchement, Laurie, je peux savoir ce qui se passe ?

— Margaux, je ne pense pas que cela nécessite beaucoup d'explications, intervint sa tante, l'air surpris par la tournure et le ton de sa question. Je m'inquiétais de…

Mme Carmichael s'arrêta en voyant entrer Julie, hors d'haleine.

— Le constructeur vous demande au téléphone, madame Carmichael ! Il paraît que c'est urgent.

— Très bien, j'arrive tout de suite. Attendez-moi, j'en ai pour deux minutes ! ajouta-t-elle à l'intention d'Audrey et de Laurie.

Dès qu'elle eut disparu, Margaux se rua sur Laurie.

— C'est quoi, ce cirque ? D'abord, vous avez une conversation top secret, dont tu refuses de nous parler, et maintenant vous partez vous balader entre vous ? Vous avez eu le coup de foudre ? Vous êtes devenues les deux meilleures amies du monde ?

— Margaux…, commença Laurie.

— Tu n'as pas à répondre à quelqu'un d'aussi grossier, intervint Audrey en fusillant Margaux du regard. Ce qu'on fait ne la regarde pas !

— Parfait ! répondit Margaux en lui rendant son regard assassin. À la réflexion, moi aussi, j'ai envie d'aller me promener. Je me demande si je ne vais pas vous suivre.

— Oh, ça serait super ! s'écria Laurie, alors qu'Audrey manquait de s'étrangler. En fait, tu nous rendras service. Mme Carmichael ne voulait pas qu'on parte tant qu'on n'aurait pas trouvé une troisième fille pour nous accompagner, n'est-ce pas, Audrey ? Je vais la prévenir que le problème est réglé.

Sur ce, elle partit sans laisser à Margaux et à Audrey le temps de réagir. Un silence pesant s'abattit sur la petite pièce. Ce fut Audrey qui le brisa.

— J'y crois pas ! Tu ne peux vraiment pas t'empêcher de te mêler de ce qui ne te regarde pas !

— Moi ! s'esclaffa Margaux, outrée. Tu plaisantes ! Ce n'est pas moi qui pique les amies des autres et qui passe mon temps à monter des coups tordus.

— Je rêve ! riposta Audrey. Tu n'es quand même pas idiote au point de ne pas voir que toute l'école se fiche de toi et de ta contre-pétition ! Tu penses réellement pouvoir changer les décisions de la direction ?

— Donc, si je comprends bien, ma pétition est stupide, alors que celle de Claire est parfaitement justifiée ? rétorqua-t-elle.

— Je n'ai jamais dit…

— On peut y aller ! annonça Laurie en revenant en trombe dans la sellerie. Mme Carmichael nous donne une heure, à condition qu'on ne s'approche pas du chantier du cross.

— Laisse-moi juste le temps de seller Morello, demanda Margaux, bien qu'elle n'eût plus du tout envie de les accompagner.

Et si Audrey avait raison ? Et si c'était vrai que tout le monde se moquait d'elle à Chestnut Hill ? Dans ce cas, pourquoi ses amies ne lui avaient-elles rien dit ?

Elle décrocha le filet de Morello, le mit sur son épaule, puis elle prit sa selle, son tapis, une brosse dure et une étrille et courut le préparer.

Ce fut fait en un temps record. Quelques minutes plus tard, les trois filles quittaient l'écurie. Dès qu'elles eurent dépassé les carrières, les poneys comprirent qu'ils partaient en promenade et pressèrent le pas, soudain pleins d'entrain. Seul Tybalt semblait un peu nerveux : il s'ébrouait chaque fois que le vent secouait une branche ou qu'un oiseau volait trop près de lui. Laurie le rassurait alors d'une voix douce ; il l'écoutait, l'oreille en arrière, et retrouvait son calme.

— Alors ? lança Margaux au bout de quelques minutes d'un ton détaché. Quoi de neuf ?

— Toi, je te vois venir avec tes gros sabots ! ricana Audrey.

— Qu'est-ce que tu veux dire ? Je voulais juste engager la conversation.

Audrey laissa échapper un grognement, qui fit tressaillir Bluegrass.

— C'était pour vous mettre à l'aise…, reprit Margaux. Si vous avez des choses à vous dire, toutes les deux, il ne faut surtout pas vous gêner pour moi. Vous n'avez qu'à faire comme si je n'étais pas là.

— Ben voyons ! Comme l'autre soir, quand tu es venue nous espionner à la porte de la chambre ? Y a-t-il un moyen de te faire comprendre que certaines choses ne te concernent pas ? La Terre tourne autour du Soleil, pas autour de Margaux Walsh !

— Franchement, c'est l'hôpital qui se moque de la charité ! souffla Margaux. Comment oses-tu dire une chose pareille, alors qu'il faut que tout le monde se mette à genoux devant toi ?

— Arrêtez ! cria Laurie si fort que Tybalt fit un écart. Taisez-vous ! Vous êtes ridicules ! Et toi, Margaux, je te demande une dernière fois de me faire confiance quand je te dis que tu ne dois pas t'inquiéter, d'accord ?

Margaux en resta sans voix : Laurie avait-elle réellement l'intention de garder le secret d'Audrey pour elle ?

Elle dévisagea cette dernière, qui affichait son petit air irrité habituel tout en semblant assez satisfaite, puis se tourna vers Laurie, le regard interrogateur :

— Alors, tu refuses toujours de me dire ce qui se passe ?

Audrey ouvrit la bouche pour répondre, mais Laurie la devança :

— Notre conversation a porté sur un sujet très personnel. Il n'y a donc aucune raison qu'on te mette au courant, Margaux. Je suis désolée. Seule Audrey peut décider si elle veut t'en parler.

Audrey décocha à Margaux un regard plein de mépris plus qu'éloquent : elle n'était pas près de partager ses secrets avec elle.

Les trois filles poursuivirent leur promenade en silence. Margaux s'absorba dans ses pensées : elles ne voulaient rien lui dire ? Parfait ! Elle n'allait pas gâcher le plaisir de cette balade parce que Laurie avait décidé de jouer les confidentes.

22

Les trois cavalières venaient d'atteindre l'orée de la forêt. Préférant éviter les ronces et les arbres dénudés par l'hiver, elles engagèrent leurs poneys dans l'allée qui serpentait à travers les bois pour déboucher à l'ouest de l'immense domaine de Chestnut Hill.

Audrey affichait une expression hésitante et ennuyée.

— Bon, maintenant que nous sommes là, comme tu le voulais, qu'est-ce que tu veux qu'on fasse ? demanda-t-elle à Laurie.

— Parce que c'est toi qui as eu l'idée de cette sortie, Laurie ? s'étonna Margaux.

— Mais tu en poses, des questions ! soupira Audrey.

— En effet, dit Laurie, j'ai proposé cette promenade parce que j'ai pensé que ça ferait du bien à nos poneys. Ils se donnent tant de mal pour nous satisfaire pendant les cours qu'ils méritent de se détendre un peu. Tybalt a fait d'énormes progrès depuis son arrivée à Chestnut Hill, mais je ne veux pas lui en demander trop, d'autant plus que nous travaillons très dur en ce moment. Et Bluegrass est toujours si sérieux ! Une balade en pleine nature devrait lui faire plaisir, ajouta-t-elle avec un regard appuyé à Audrey que Margaux surprit sans savoir comment l'interpréter. C'est fou ce qu'un changement de rythme peut leur apporter ! C'est aussi un bon moyen de les rendre plus réceptifs en carrière, finit Laurie en se penchant pour caresser l'encolure de Tybalt.

Une fois de plus, Margaux s'émerveilla de sa faculté de sentir ce qui réussissait aux poneys. Tybalt n'aurait pu tomber entre de meilleures mains : elle était sûre que Laurie saurait l'adapter à la vie de Chestnut Hill, car son intuition ne la trompait jamais. Ce que Margaux ne comprenait pas, en revanche, c'était pourquoi Laurie avait brusquement décidé de s'occuper d'Audrey et de Bluegrass. Le poney bénéficiait déjà de tous les privilèges : Audrey veillait à ce qu'il ait toujours ce qu'il y avait de mieux. Mais ce qui l'épatait le plus, c'était qu'Audrey tienne compte des suggestions de Laurie.

— Par ailleurs, se retrouver dans un cadre différent, reprit Laurie, leur donne une nouvelle approche des choses. Sauter un tronc dans la forêt n'a rien à voir avec sauter un obstacle dans la carrière.

— Un tronc ? répéta Audrey, soudain inquiète. Je ne sais pas si c'est raisonnable. Si jamais Bluegrass se blessait…

Margaux leva les yeux au ciel. Depuis qu'elle avait entendu parler du cross-country, Audrey n'avait cessé de répéter que Bluegrass avait beaucoup trop de valeur pour aller caracoler en pleine campagne et sauter des obstacles solides.

— Ne t'inquiète pas, la rassura Laurie. Si Bluegrass peut

franchir un gros oxer sur la piste, tu penses bien que ce n'est pas un petit tronc de trente centimètres qui va l'effrayer !

Margaux ne put s'empêcher d'admirer son amie, une fois de plus : elle témoignait à Audrey la même patience et la même sensibilité sidérantes dont elle faisait preuve avec Tybalt.

En suivant l'allée qui s'enfonçait dans la forêt, elles cessèrent de parler d'équitation pour bavarder de tout et de rien.

Si, comme le disait Laurie, la forêt détendait les poneys, elle semblait faire encore plus de bien à Audrey. Plus elles avançaient, plus celle-ci se décontractait. Elle avait arrêté de jeter des regards perçants à Margaux et à Laurie et commençait à participer à la conversation. Elle fit même quelques plaisanteries et rit de certaines de leurs réflexions sur leurs professeurs et leurs cours. Margaux elle-même ne s'était jamais autant amusée depuis les vacances. Elle ne pourrait jamais être amie avec Audrey, mais elle devait reconnaître que, pour une fois, leur camarade était presque agréable.

« C'est sans doute parce qu'on l'a emmenée dans les bois, loin de ses copines superficielles et malveillantes. En réalité, elle ne serait pas si odieuse si elle était moins snob. Ça vient peut-être d'une overdose de cachemire... »

— Qu'est-ce qui te fait rigoler comme ça ? demanda Audrey, qui la regarda à ce moment-là. Tu as l'air d'une malade mentale.

— C'est celui qui le dit qui y est ! répondit Margaux du tac au tac.

Elle éclata de rire, ce qui ne fit que perturber davantage Audrey.

Quelques minutes plus tard, alors que Margaux et Morello sortaient d'une clairière, une longue ligne droite et plate apparut devant eux. Margaux se retourna et vit que Laurie et Audrey profitaient de ce qu'elle était hors de portée de voix pour échanger quelques mots, mais elle décida de ne pas s'en formaliser. Elle devait faire confiance à Laurie.

— Hé ! Si on se faisait un petit galop ?

Les trois poneys s'élancèrent. Ils fonçaient à bride abattue, crinière au vent. Morello secoua la tête et s'ébroua, visiblement heureux. Margaux garda les deux jambes au contact, ses mains enfouies dans ses crins merveilleusement chauds.

La piste cavalière fit une courbe, et Morello changea automatiquement de pied. Au bout de l'allée, Margaux aperçut un arbre tombé en travers qui formait une barrière d'une soixantaine de centimètres de haut.

Il était trop tard pour avertir les deux autres. Morello avait déjà fixé son attention sur l'obstacle, les oreilles tendues d'excitation. Margaux se pencha en avant et ils s'envolèrent au-dessus du tronc sans ralentir.

— You hou ! hurla-t-elle quand ils atterrirent.

Elle se rassit, tira sur les rênes et tourna la tête pour voir Bluegrass puis Tybalt franchir l'obstacle avec autant d'aisance.

Audrey semblait un peu secouée tandis qu'elle ramenait son poney au trot.

— Merci de nous avoir prévenues, Margaux ! s'écria-t-elle de son ton hautain habituel. On ne t'a jamais dit qu'il fallait crier quand on voyait un obstacle imprévu ? On aurait pu se tuer par ta faute !

— Waouh ! Tu aurais vu Bluegrass quand il s'est élancé au-dessus du tronc ! s'exclama Laurie sans laisser à Margaux le temps de répondre. Il a levé ses genoux comme s'il avait passé sa vie à galoper dans les bois !

Un sourire de satisfaction remplaça l'expression pincée d'Audrey.

— C'est normal ! Il n'aurait pas gagné une malle de trophées s'il sautait comme un rhinocéros !

Bientôt, l'allée les ramena vers leur point de départ. Les filles avançaient rênes longues ; même Tybalt flânait comme un cheval de randonnée décontracté. L'ambiance était si chaleureuse et si détendue que Margaux ne cessait de jeter des regards vers Audrey pour s'assurer qu'elle n'était pas en train de rêver.

— Tu as un problème ? finit par lancer Audrey, agacée. Tiens, au fait, tu peux me dire ce qui arrive à Mme Carmichael en ce moment ? Qu'est-ce qui lui prend de bousculer tout le monde comme ça ? Elle met les bouchées doubles parce qu'elle a peur d'être fichue dehors ?

— Quoi ? rugit Margaux. Ne me dis pas que tu as gobé ces rumeurs stupides, toi aussi ! Oh, suis-je bête ! fit-elle en se frappant le front. Bien sûr que tu y crois ! Tu es la meilleure amie de Patty, la reine des commères !

— Sauf que Patty n'est pas la seule à en parler, répondit Audrey d'un air supérieur. Et, tout attardée socialement que tu sois, tu as bien dû en entendre des échos !

— Et toi, tu peux me dire ce que Mme Carmichael t'a

fait ? On dirait que tu serais ravie qu'on la mette à la porte pour donner sa place à Mme Mitchell.

Audrey haussa les épaules et se pencha pour retirer une feuille qui venait d'atterrir sur la crinière de Bluegrass.

— Il est incontestable que Mme Mitchell obtenait de bien meilleurs résultats. Mes sœurs ont toujours dit que c'était la prof la plus géniale qu'elles aient jamais eue.

— Parce qu'elles n'ont pas suivi les cours de Mme Carmichael ! Et ce n'est pas parce que ce sont tes sœurs qu'elles ont raison !

— Les filles !... soupira Laurie d'un ton ennuyé.

Mais Margaux était lancée.

— Pourquoi tu ne t'occupes pas de tes affaires ? cria-t-elle à Audrey.

— Ça te va bien de dire ça, tiens ! Je te le ressortirai la prochaine fois que tu espionneras mes conversations ou que tu t'imposeras dans une balade sans y être invitée !

— Les filles ! répéta Laurie d'une voix plus forte. On rentre, les poneys en ont assez.

Sans attendre leur réponse, elle lança Tybalt au trot. Après avoir jeté un dernier regard haineux à Audrey, Margaux la suivit en marmonnant dans sa barbe.

Pendant tout le trajet du retour, Margaux continua de bouillir en silence. Morello dut sentir son changement d'humeur, car il n'arrêtait pas de se faire peur tout seul et d'essayer de lui arracher les rênes des mains. À leur arrivée à l'écurie, l'ambiance était glaciale.

Margaux sauta à terre la première.

— On se retrouve pour aller dîner dès qu'on aura remis

les poneys dans leur box, dit-elle à Laurie, ignorant ostensiblement Audrey.

Elle conduisit Morello à l'intérieur et le dessella. Puis elle attrapa son harnachement et se précipita à la sellerie pour le ranger.

Elle ralentit en entendant la voix de Claire qui parvenait de la pièce. Quand elle entra, elle la vit reprendre un bloc-notes et un stylo des mains de Karine Butler et d'Ariane Estevan, deux filles de seconde, en cours intermédiaire.

— Merci encore d'avoir signé. Grâce à vous, nous retrouverons peut-être le chemin de la victoire, leur dit Claire d'une voix pleine d'entrain.

Son sourire s'élargit encore quand elle vit arriver Audrey avec le harnachement de Bluegrass.

— Ah, Audrey ! Justement, je voulais te voir !

Margaux remit sa selle et son filet à leur place et quitta l'écurie sans même repasser par le box de Morello pour lui souhaiter une bonne nuit. Elle ne pouvait rien faire pour empêcher Audrey de signer la pétition de Claire. Si elle était surprise qu'elle n'ait pas été une des premières à s'inscrire, ce n'était pas une raison pour rester là à la regarder apposer sa signature.

23

Le samedi matin, Margaux se réveilla tôt. Pour une fois, sa première pensée ne fut pas pour sa tante. Elle regarda en souriant la silhouette enfouie sous les couvertures dans le lit en face du sien.

— Debout, Pauline ! chantonna-t-elle en se levant d'un bond pour aller lui planter un doigt entre les omoplates.

Pauline répondit par un grognement et tira les draps sur sa tête en serrant son oreiller contre elle.

— Hé ! Faut te lever, insista Margaux. Tu ne voudrais pas faire attendre Minnie, quand même ?

À ces mots magiques, Pauline ouvrit les yeux et s'assit, soudain bien réveillée.

— Ah ! On est enfin samedi ?

— Eh oui ! répondit Margaux en sortant un jean propre de son placard. Dépêche-toi de t'habiller. Plus tôt on aura fini notre petit déjeuner, plus vite on sera à l'écurie.

Les deux derniers jours avaient passé trop rapidement ; Margaux s'en voulait de ne pas avoir recueilli davantage d' signatures pour soutenir sa tante. Avec Mélanie, avaient la ferme intention de présenter leur pétition à leurs camarades avant et après les cours, mais les imprévus s'étaient succédé, les en empêchant. Le jeudi matin, Mélanie ne s'était pas réveillée ; l'après-midi, la réunion pour l'annuaire de l'école avait duré plus longtemps que prévu. Le vendredi matin, Margaux avait dû repasser un contrôle qu'elle avait manqué pendant sa grippe ; et l'après-midi, leurs bonnes intentions avaient été balayées par une séance d'essayage en vue de la soirée. Il fallait aussi reconnaître qu'Audrey, en lui disant que tout le monde se moquait d'elle, avait sérieusement douché son enthousiasme. Aller soutenir Pauline pour sa première reprise avec Minnie lui fournissait une nouvelle excuse pour remettre la collecte des signatures à plus tard.

Peu après, Margaux, Mélanie et Laurie présentaient une Minnie au poil lustré à Pauline, qui tripotait nerveusement la bride de son casque. La jolie ponette patientait, décontractée, ses yeux doux fixés sur sa cavalière.

— Tu es prête, Pauline ? demanda Mme Carmichael en venant vers elles. Je vois que tu as amené des supporters.

Margaux sourit :

— Nous n'aurions voulu rater cette première pour rien au monde.

— Je sens que Pauline va encore nous épater ! enchaîna Mélanie.

— Eh bien, je vous félicite pour ce bel esprit d'équipe, les filles !

Cependant Margaux remarqua la nervosité de Pauline quand celle-ci sella la ponette et la sortit dans la cour.

— Tu vas y arriver ! l'encouragea-t-elle à voix basse en lui pressant le bras.

— J'espère. Ça fait si longtemps que j'attends cet instant ! Mais je n'arrive pas à m'empêcher de penser à tous les problèmes que Patty a eus avec elle...

— Pitié, oublie-la ! Patty s'y connaît autant en chevaux que moi en placements à la bourse. Tu es bien meilleure qu'elle. Et après tout le temps que tu as passé avec Minnie ces derniers mois, tu la connais mieux que quiconque. Vous allez faire des merveilles !

— Minnie est tellement solide que rien ne doit la déstabiliser, chuchota Margaux à Mélanie. En revanche, Pauline...

— Si elle est déjà émue maintenant, qu'est-ce que ce sera ce soir, avant son premier slow avec Josh !...

Pauline, qui avait entendu la fin de leur conversation, leur jeta un regard incendiaire. Margaux s'esclaffa tandis que Mélanie sifflotait d'un air innocent. Mais lorsque son amie vérifia la bride et se mit en selle, Margaux croisa les doigts.

C'était inutile : dès l'instant où elles s'écartèrent du montoir, chacun de leur mouvement fut parfait. Pauline avait beaucoup appris depuis le début de l'année, quand elle avait été sélectionnée de justesse dans l'équipe intermédiaire. Lorsqu'elle demanda à la ponette, parfaitement dressée, de se mettre aux différentes allures, celle-ci lui obéit comme si elles travaillaient ensemble depuis des mois.

— Waouh, elle se débrouille super bien ! murmura Margaux.

Laurie hocha la tête.

— Avant de venir ici, elle n'avait monté qu'un ou deux poneys en dehors du sien. Depuis son arrivée à Chestnut Hill, elle en a eu tellement qu'elle sait se mettre à l'écoute de chaque nouveau cheval et adapter ses aides.

— Et Minnie doit être drôlement soulagée de ne pas se faire botter les flancs par Patty, remarqua Mélanie avec son humour habituel.

— Tu veux faire un peu de saut ? proposa Mme Carmichael quand Pauline eut effectué plusieurs tours au galop.

Pauline se mordilla la lèvre :

— Vous croyez que je peux ? Ses tendons… je ne voudrais pas…

— Juste un petit saut. J'aimerais voir comment elle s'en sort, si tu veux bien.

Pauline regarda ses amies, prit une profonde inspiration et hocha la tête avec un grand sourire. Margaux l'encouragea en levant les pouces en l'air.

Pendant ce temps, Mme Carmichael installait un croisillon.

— Tu viens au trot, sans te presser. Les yeux droit devant, les talons bas…

Pauline fit faire un cercle à Minnie et la mit au trot. À la vue de l'obstacle, la ponette dressa ses oreilles duveteuses en avant, mais son allure resta régulière. Elle décrivit un arc parfait au-dessus de l'obstacle et reprit le galop une fois de l'autre côté.

Pauline la ralentit avec un sourire radieux.

— C'était génial comme sensation ! s'écria-t-elle.

— Et comme vision aussi, la félicita Mme Carmichael. Tu veux réessayer avec un départ au galop ?

Après plusieurs autres sauts, la leçon prit fin. Pauline, accompagnée de ses amies, fit marcher Minnie quelques minutes pour la refroidir. À la différence des autres poneys de l'école, Minnie n'avait pas été tondue depuis sa blessure, et il était important qu'elle sèche complètement avant de se retrouver à l'extérieur.

— Hé, on ferait bien de se ménager, plaisanta Margaux au bout de trois tours de piste. On doit garder des forces pour danser ce soir.

— Tu n'as qu'à considérer ça comme un échauffement, lui conseilla Mélanie.

— C'est vrai qu'on ne laisserait jamais nos poneys aborder un parcours sans les échauffer avant, reconnut Laurie. Il faut qu'on en fasse autant si on ne veut pas finir avec une tendinite.

— Ou une luxation de la rotule. Ou même une blessure du jarret, ajouta Margaux d'une voix sinistre.

— Vu la façon dont tu danses, Margaux, ça te pend au nez.

Mélanie éclata de rire :

— Tu plaisantes ? Vu la façon dont elle s'agite, ce sont plutôt les nôtres, de jarrets, qui sont en danger !

Margaux décocha à son amie un regard faussement blessé. C'était si bon d'être toutes les quatre ensemble ! Alors qu'elles ramenaient Minnie à son box, Margaux songea que tout lui semblait normal dès qu'elle ne pensait plus à ses préoccupations. Elle en oubliait même d'en vouloir à Laurie d'avoir fait amie-amie avec Audrey.

« Tante Annie est très détendue, ce matin ! se dit-elle Pas une seule fois elle n'a pas bousculé Pauline. »

Lorsqu'elles arrivèrent au box de Minnie, Julie étalait de la paille fraîche sur le sol.

— Salut, les filles ! Vous pourriez conduire Minnie au pré après l'avoir dessellée ?

— Volontiers, répondirent-elles en chœur.

Dix minutes plus tard, les quatre inséparables repartaient vers le pâturage où l'on mettait les juments cette semaine-là. Il se situait en hauteur, sur la petite colline derrière l'écurie. Foxy Lady, Sancha, Shamrock, Skylark et d'autres ponettes broutaient l'herbe rase ou le foin disséminé dans le pré à leur intention.

Le regard de Margaux fut attiré par une butte de terre rougeâtre qui se découpait comme une blessure sur l'herbe verte, un peu plus haut. « C'est la future retenue de terre du cross ! » pensa-t-elle, tout excitée, en revoyant les plans du parcours accrochés au tableau d'affichage, dans le bureau de sa tante.

— Qu'est-ce que tu reluques ? demanda Mélanie en suivant son regard. Oh, vous avez vu, les filles ! On dirait que les ouvriers ont repris le chantier !

— Non, ça fait des semaines que c'est comme ça, la détrompa Margaux, découragée, se souvenant de tous les problèmes qui accablaient sa tante.

— Tu es sûre ? insista Laurie. Je ne l'avais jamais aperçu.

— Certaine. Après ma grippe, j'ai amené des chevaux ici, et je l'avais déjà remarqué. En plus, j'ai entendu hier Julie et Elsa se lamenter que tout était arrêté.

Pauline haussa les épaules :

— Ce n'est pas grave ! On a su depuis le début que le

parcours avait peu de chances d'être terminé avant l'été, même sans ce retard. Consolons-nous à l'idée qu'il nous attendra à la prochaine rentrée.

— Oui, j'espère seulement que Tante Annie sera toujours là pour nous initier au cross... soupira Margaux.

24

— C'est parti ! lança Mélanie en entrant dans la salle des fêtes de St Kits. Que la fête commence !

Margaux la suivit en riant, bien décidée à s'amuser.

Depuis la fin de l'après-midi, elle s'était laissé gagner par la frénésie des préparatifs. Audrey étant allée s'habiller chez Patty, les quatre amies avaient eu la chambre à elles seules. Elles avaient transformé le bureau de Pauline en coiffeuse, et le lit de Margaux en vestiaire. Margaux avait retourné son coffret à bijoux sur sa table et invité ses copines à choisir ce qui leur plaisait. Pauline, qui possédait de jolis accessoires elle aussi, avait choisi un collier en perles pour rehausser sa robe bleu ciel. Pendant qu'elles mettaient leurs tenues et se maquillaient, d'autres filles passaient en coup de vent pour emprunter des chaussures, des boucles d'oreilles, du blush, des collants, du brillant à lèvres…

Laurie était fabuleuse dans sa robe en velours bleu nuit : elle la portait avec le collier ras de cou en argent, prêté par Margaux, et des ballerines. Pauline et Margaux lui avaient fait un chignon, dont s'échappaient de petites boucles qui encadraient son visage. Et il avait suffi d'une touche de gloss rose sur ses lèvres, d'un trait d'eyeliner et d'un soupçon de mascara pour faire ressortir le bleu de ses yeux.

— Waouh ! s'était exclamée Margaux en reculant d'un pas pour admirer leur œuvre. Tu es à tomber ! Caleb va avoir une attaque en te voyant.

— J'espère que non, avait répondu Laurie, toute rouge. Tu n'es pas mal non plus, Margaux !

— C'est vrai, je dois le reconnaître, avait gloussé Margaux en pivotant pour se regarder dans le grand miroir fixé au dos de la porte.

Elle portait une robe en soie turquoise, achetée à Aspen pendant les vacances de Noël, ses chaussures préférées pailletées et des boucles d'oreilles en cristal de Swarovski que sa mère lui avait envoyées d'Amsterdam.

Pauline était fabuleuse, elle aussi. Le bleu pâle de sa robe mettait en valeur son teint clair et ses cheveux blonds et soyeux.

Quant à Mélanie, renonçant à ses allures de cow-boy, elle avait emprunté à sa compagne de chambre, Alexandra, qui était aussi grande qu'elle, une adorable petite robe rouge à fines bretelles. Avec les créoles de Jessica et ses ballerines argentées, elle aurait pu figurer dans les pages de *Biba*.

Dans cette ambiance de fête, Margaux avait réussi à oublier les problèmes de sa tante. À présent, elle n'avait qu'une idée, veiller sur les amours de Laurie et de Pauline. Elle trouvait ses deux amies beaucoup trop réservées et craignait que leur timidité ne décourage Caleb et Josh.

« Et si un Apollon de St Kits décide de m'enlever, je ne

le repousserai pas, songea-t-elle en passant en revue les garçons qui l'entouraient. Après tout, on ne peut pas dire qu'Henri m'inonde de mails… Et il a beau être très mignon, la France, c'est un peu loin ! » Elle fronça les sourcils : elle n'avait plus eu de ses nouvelles depuis qu'elle était tombée malade ! Pourtant elle lui avait écrit pour lui parler du complot contre sa tante. « Peu importe, ce n'est pas le moment d'y penser ! décida-t-elle. Cette soirée est réservée à la fête. »

La salle de bal de St Kits faisait penser à un château européen. Les murs lambrissés étaient drapés de banderoles de tissu aux couleurs printanières ; les planchers cirés brillaient comme des miroirs. Des tables disposées au fond de la pièce croulaient sous les boissons et les amuse-gueules.

— Miam, miam, fit Margaux. J'ai une de ces faims…

Laurie examinait la salle, elle aussi.

— Bon, alors où sont les amoureux de Pauline et de Laurie ? Ne devraient-ils pas les attendre, un bouquet à la main ?

— Chut ! la gronda Pauline en piquant un fard. De quoi je me mêle ?

Il y eut de la bousculade derrière elles tandis qu'un minibus de Chestnut Hill déversait une nouvelle fournée de filles devant la salle. Audrey et Patty firent une entrée spectaculaire, l'air plus déguisées que jamais. Audrey levait les pieds très haut à chaque pas, sans doute pour afficher ses superbes chaussures ornées de perles. Patty s'était maquillé les yeux à outrance, pensant sans doute ressembler à certains mannequins des défilés de haute couture, mais c'était raté : elle avait plutôt l'air d'une fille profondément traumatisée.

Margaux allait le faire remarquer à ses amies quand elle vit Claire, Chloé et Colette arriver avec quelques élèves qui ne faisaient pas d'équitation. Alors qu'elle se demandait quelle idée avait eue Claire de mettre une robe à imprimé panthère, elle s'aperçut que toute sa bande riait et parlait très fort. « Bizarre… songea-t-elle. Claire n'a pas l'habitude d'être aussi exubérante. Aurait-elle une raison particulière de se réjouir ? »

— Salut ! Bienvenue à St Kits !

Margaux se retourna et vit Caleb et Josh qui les rejoignaient, très élégants dans leur chemise et leur pantalon en toile bien repassés. Caleb portait des mocassins tellement cirés qu'ils reflétaient la lumière des lustres. Les cheveux blonds de Josh, qui d'habitude lui cachaient la figure, étaient sagement coiffés en arrière et disciplinés par du gel.

— Bonjour, les garçons, dit-elle. Comment ça va ?

Aucun ne lui répondit, et pour cause : Caleb s'était figé, la bouche ouverte, en voyant Laurie, tandis que Josh, rouge comme une pivoine, souriait béatement à Pauline.

— Waouh ! murmura enfin Caleb en passant une main dans sa tignasse brune. Laurie, tu es méconnaissable… euh… je veux dire… différente… enfin… magnifique !

— Merci.

Laurie baissa les yeux et balaya de la main une poussière imaginaire sur sa robe. Tu n'es pas mal non plus…

Josh opina si vigoureusement que ses cheveux lui tombèrent sur le front.

— Oh, Pauline ! bafouilla-t-il en ramenant la mèche

récalcitrante en arrière sans quitter la jeune fille des yeux. Tu es... tu es fabuleuse ! Euh... et vous aussi, les filles ! ajouta-t-il comme s'il constatait brusquement leur présence.

— Merci, Josh, dit Mélanie. Nous avons choisi ces tenues avec Margaux rien que pour vous deux.

Leur première surprise passée, les deux garçons éclatèrent de rire.

— Venez, dit Josh, retrouvant son aisance. J'adore cette chanson. On va danser ?

Pendant les heures qui suivirent, Margaux et ses amis profitèrent de la fête, dansant tous ensemble sur les rythmes endiablés ou en couples quand la musique ralentissait. Aux premières mesures d'un slow, Mélanie s'était inclinée en riant devant Margaux pour l'inviter. Elles avaient à peine eu le temps d'esquisser une parodie de tango que deux garçons de quatrième s'étaient précipités pour les séparer et les entraîner sur la piste. Par la suite, des cavaliers se pressaient autour d'elles dès que retentissaient des accords langoureux.

— Qui a dit que ce n'était pas drôle d'être célibataire ? glissa Mélanie à Margaux alors qu'un nouvel adolescent craquant l'emmenait vers la piste.

Nat Carmichael, le cousin de Margaux, en troisième à St Kits, vint se joindre à leur groupe. C'était le genre de garçon que tout le monde trouvait sympathique. Il était accompagné de ses copains, qui demandèrent à être présentés aux quatre filles. Margaux remarqua avec amusement que chaque fois que quelqu'un jetait à Laurie un regard admiratif ou s'intéressait à elle, Caleb s'arrangeait pour l'entraîner à l'écart. Josh semblait moins jaloux de l'attention portée à Pauline, ce qui ne l'empêchait pas d'avoir toujours une main posée sur son bras ou passée autour de sa taille.

— Je dois m'asseoir, déclara soudain Margaux, épuisée. Ces chaussures sont splendides, mais elles m'ont mis les pieds en compote !

— Je n'en peux plus, moi non plus ! avoua Pauline. Tu veux bien qu'on se repose un peu ? demanda-t-elle à Josh.

— Bien sûr. Venez, il y a des banquettes libres là-bas.

— Allez-y, j'arrive ! lança Nat avant de disparaître dans la foule pendant que Margaux, Mélanie, Pauline, Laurie, Josh et Caleb se dirigeaient vers les gros canapés en velours alignés le long du mur.

Margaux se retrouva assise entre Caleb et Mélanie.

— Elle est géniale, cette soirée ! déclara-t-elle à Caleb.

— Oui, vraiment, enchérit Laurie, qui était installée de l'autre côté du garçon. Vous savez recevoir à St Kits.

— Eh bien, on ne pouvait pas faire moins après la réunion que vous avez organisée pour le trophée interécoles, répondit Caleb avec un grand sourire. Ce cadre magnifique allait de pair avec la qualité des vainqueurs !

— Bouh ! Le frimeur ! pouffa Mélanie tandis que Pauline, Margaux et Josh éclataient de rire. On ne peut pas dire que tu aies le triomphe modeste !

— Ne vous inquiétez pas, votre tour viendra bientôt, à vous aussi. D'autant plus que vous allez bientôt récupérer Elizabeth Mitchell !

25

Margaux faillit s'étrangler.

— Quoi ? souffla-t-elle à l'unisson avec Laurie et Mélanie, tandis que Pauline arrondissait les lèvres en un « O » parfait.

Caleb se tourna vers Laurie, qui avait pâli de stupeur.

— Comment ? Vous n'êtes pas au courant ? J'ai entendu une fille de votre école l'annoncer tout à l'heure, quand nous sommes allés chercher du punch avec Josh.

— Qui c'était ? demanda Margaux.

Caleb haussa les épaules et se tourna avec un air interrogateur vers son copain.

— Ah, oui, je me souviens ! C'était la blonde déguisée en panthère.

— Claire ! rugit Margaux en la cherchant des yeux dans la foule, mais elle ne vit ni Claire ni personne de sa bande. Qu'a-t-elle dit exactement ?

— Je n'ai pas fait trop attention… Elle affirmait que Mme Carmichael allait donner sa démission et que Liz Mitchell reprendrait sa place de directrice du centre équestre.

Oh, je suis désolé ! murmura-t-il devant l'air atterré de Margaux. J'avais oublié que c'était ta tante. Alors, vous ne le saviez pas ?

Margaux ne répondit pas. Son esprit galopait : Claire aurait-elle reçu de nouvelles informations ? Était-ce la raison de son arrivée triomphale à la soirée ?

— Nous avons bien entendu quelques rumeurs, murmura Pauline. Mais nous ne les avons pas prises au sérieux, ajouta-t-elle avec un regard plein de remords vers Margaux.

— Ouais, eh bien, moi, je pense que tu as mal entendu, déclara Mélanie. Ou que Claire prend ses désirs pour des réalités.

— Tu as peut-être raison. Mais tu dois reconnaître, la tante de Margaux mise à part, que ce ne serait pas si mal. Mme Mitchell avait réalisé des prouesses à Chestnut Hill.

— Quoi ? s'écria Margaux, outrée. Comment peux-tu prétendre une chose pareille ?

— Ben, qu'est-ce que j'ai dit ? lâcha Caleb, surpris par sa réaction. Sous sa direction, vos équipes ont gagné plus souvent que les autres écoles de la ligue. Je trouve Mme Carmichael très sympathique, mais vos performances cette année laissent à désirer… Tous ceux qui ont assisté à la dernière rencontre se sont rendu compte que ce n'était pas digne de Chestnut Hill. D'habitude, c'est vous qui dominez le classement.

— Attends un peu ! protesta Pauline. Mme Carmichael vient d'arriver. Il faut du temps à un professeur avant de trouver le bon rythme.

— Bien sûr, c'est possible. Elle peut encore remonter.

Je pensais simplement que ça ne vous ferait pas de mal d'être entraînées par quelqu'un qui a déjà fait ses preuves.

— OK, monsieur Je-suis-arrivé-le-premier-au-concours, rétorqua Mélanie, le front plissé. Ton raisonnement n'est pas idiot, mais figure-toi que nous aimons Mme Carmichael. Nous ne voulons pas qu'elle s'en aille, quels que soient ses résultats.

Josh éclata d'un petit rire gêné.

— Attends, je vois ce qu'il a voulu dire, fit-il en se penchant devant Laurie pour taper son copain sur le genou. D'accord, je ne suis pas un cavalier, mais je fais du sport. Et je sais combien c'est important d'avoir un bon entraîneur pour gagner.

— Je te l'accorde, répondit Laurie d'un ton tellement glacial que Margaux la dévisagea, étonnée. Surtout si tu considères que gagner des concours représente le seul but d'un programme d'équitation.

Caleb lui sourit d'un air hésitant :

— Ce n'est peut-être pas le seul, mais reconnais que c'est le principal.

— Non, je ne suis pas de cet avis. Pour moi, la relation et l'entente que nous avons avec les chevaux passent avant tout. Et Mme Carmichael défend ce point de vue, quoi qu'il arrive. Sans elle, jamais un poney comme Tybalt ne serait resté à Chestnut Hill ! Elle m'aide aussi à appliquer les méthodes de Heartland. C'est grâce à elles que Tybalt est encore ici, et elles fonctionnent parfaitement sur Blue… Enfin… peu importe… Ce que je veux souligner, c'est que gagner des concours n'est vraiment pas ce qui compte le plus dans l'équitation !

Margaux tressaillit. Elle venait de comprendre ce qui s'était passé entre Laurie et Audrey. Audrey avait appelé Laurie à l'aide. En fait, quand elle avait commis la suite d'erreurs pendant l'exercice, ce n'était pas pour jouer le jeu de Claire et de sa clique. Bluegrass n'obtenait que des mauvais résultats depuis quelque temps. Et maintenant qu'elle y réfléchissait, Audrey n'était pas du genre à jouer les nulles. Elle ne vivait que pour briller. Et, bien sûr, elle ne voulait surtout pas qu'on sache que Bluegrass avait des problèmes. Margaux en avait le souffle coupé. Comment avait-elle pu mettre en doute les motifs qui poussaient Laurie à fréquenter Audrey ?

Reportant son attention sur la scène qui se déroulait devant elle, elle frissonna. Laurie était hors d'elle. « Je ne la blâme pas. Caleb raisonne comme une savate. »

— Mais, Laurie, protesta-t-il, les concours sont primordiaux ! Sans eux, comment veux-tu connaître la qualité de ton entraînement ? C'est comme si tu disais que tu te moques que ton équipe de basket gagne, ajouta-t-il, prenant Josh à témoin. Ça n'a pas de sens.

— Parle pour toi ! dit Laurie en croisant les bras sur sa poitrine.

— Essaie de comprendre, Caleb, intervint Pauline. Nous adorons monter avec Mme Carmichael. Ce qu'elle nous apprend ne se limite pas à impressionner les juges. Et ça compte davantage pour nous que de gagner.

— Ce n'est pas qu'on ne veuille pas gagner, enchérit Margaux. Au contraire. Et nous gagnerons. Nous étions juste dans un mauvais jour au dernier concours, ça arrive à tout le monde.

— Bien sûr, fit Josh en s'appuyant contre le dossier de la banquette. C'est comme le basket, mon pote, j'ai tout un tas de raisons d'y jouer. Parce que c'est amusant, que c'est un excellent exercice…

— Si tu le dis… murmura Caleb d'un ton peu convaincu. Enfin, ça n'a plus d'importance pour vous, les filles. J'ai l'impression que Mme Mitchell va revenir à Chestnut Hill quoi qu'on en pense les uns et les autres. Et, dans ce cas, je vais devoir m'entraîner encore plus pour battre ces demoiselles à la prochaine rencontre, ajouta-t-il avec un petit sourire à l'intention de Josh.

Celui-ci se mit à rire, mais il s'arrêta net : Laurie s'était levée et elle les fusilla tous les deux du regard avant de disparaître dans la foule.

— Mince ! Qu'est-ce que j'ai dit ? s'exclama Caleb en la suivant des yeux.

— Tu plaisantes, ou quoi ? explosa Margaux. Si tu ne le sais pas, je ne peux rien faire pour toi !

Elle sauta sur ses pieds et courut après Laurie, Mélanie et Pauline sur ses talons.

Elles la retrouvèrent dans l'immense hall aux murs couverts de portraits, désert et sinistre, malgré l'écho des basses qui parvenait de la salle de bal. Laurie s'était affalée sur un fauteuil près de l'entrée, le visage enfoui entre ses mains. Quand Margaux s'approcha d'elle, elle leva la tête. Malgré le faible éclairage, Margaux vit qu'elle était bouleversée.

Elle s'agenouilla devant elle et lui passa un bras autour des épaules :

— Ça va, Laurie ?

Laurie secoua la tête. Son expression en disait plus qu'un long discours.

Margaux se taisait, elle aussi. Elle était sonnée par tout ce qui venait de se passer. D'abord l'annonce du départ probable de sa tante, ensuite le fait que Laurie avait mis en sourdine ses différends avec Audrey pour soigner Blue-grass, et enfin la découverte que Caleb était un fou de compétition qui ne pensait qu'à gagner. La peine qu'elle lut dans le regard de Laurie lui brisa le cœur. C'en était fini du couple parfait...

26

— Ah, Margaux, vous voilà enfin !

Nat s'approcha de sa cousine, qui se tenait avec ses amies devant les toilettes des femmes. Il était presque onze heures ; les minibus devaient arriver d'une minute à l'autre pour ramener les filles à Chestnut Hill.

— Ça fait une heure que je vous cherche. Où étiez-vous passées ?

Margaux jeta un regard furtif vers Laurie, qui avait encore les yeux rouges.

— Euh, on était juste... enfin... dans le hall. On a dû se rater, murmura-t-elle, la gorge nouée, incapable de lui répéter ce que Caleb lui avait appris.

Nat était le fils de Tante Annie, et si son départ se confirmait, sa vie en serait encore plus bouleversée que la leur.

Nat la regarda avec perplexité, mais dut décider qu'il valait mieux ne pas insister, car il dit seulement :

— Eh bien, il paraît que vos minibus vont arriver. Je voulais vous dire bonsoir.

Margaux s'en voulut de ne pas lui dire la vérité. Mais elle se voyait mal lui avouer qu'elles avaient passé la dernière heure enfermées dans les toilettes : Laurie s'y était réfugiée lorsque Caleb l'avait suivie dans le hall pour tenter de s'expliquer.

Comme son cousin restait là à la regarder, Margaux le serra dans ses bras.

— Je te raconterai tout bientôt ! lui promit-elle en l'embrassant.

Quelques garçons qui passaient par là poussèrent des hurlements de loup en les voyant.

— Laissez tomber, les mecs, c'est ma cousine ! leur jeta Nat avec un regard noir.

Margaux sourit avec tristesse et le retint quelques secondes contre elle. Il lui manquerait beaucoup s'ils repartaient dans le Kentucky, sa mère et lui. Elle l'avait toujours considéré comme un grand frère.

— Au revoir, lui dit-elle tandis qu'il s'écartait, un peu embarrassé.

Elle rejoignit ses amies, qui se dirigeaient déjà vers la navette. Laurie semblait particulièrement pressée de rentrer à Chestnut Hill, et Margaux ne pouvait lui en vouloir.

Josh les rattrapa, hors d'haleine :

— Attendez, les filles ! Hé, attends-moi, Pauline !

Il avait laissé sa veste à l'intérieur et serrait ses bras contre lui pour se protéger du froid. Ses cheveux s'étaient libérés du gel et lui tombaient dans les yeux.

— Qu'y a-t-il, Josh ? demanda Pauline d'une voix hésitante. Il faut vraiment qu'on y aille.

— Je voulais juste savoir si tu pensais aller à Cheney

Falls samedi prochain, commença-t-il d'une voix mal assurée, son regard sautant d'un visage fermé à un autre. Si tu y vas, on pourrait se retrouver. Qu'en penses-tu ?

Pauline hésita. Elle regarda Laurie, qui fixait le vide d'un œil éteint.

— Non, ce ne sera pas possible, Josh. Je suis désolée.

Margaux ferma les yeux, accablée : pourquoi cet enchaînement de catastrophes, subitement ? Elle avait l'impression que les commentaires désagréables de Claire au sujet du concours s'étaient enflés et propagés, pour contaminer tout le monde à Chestnut Hill, telle une malédiction. À présent, non seulement c'en était fini de l'histoire d'amour de Laurie, mais celle de Pauline semblait bien compromise, elle aussi.

— Allez, les filles ! les appela Mélanie. Il faut rentrer.

Quand Margaux monta dans le minibus, Mélanie était déjà assise sur la banquette du fond. Elle se laissa tomber à côté d'elle, épuisée. Laurie et Pauline les rejoignirent deux secondes plus tard.

Laurie se tourna vers Pauline :

— Tu pouvais le revoir. Ça ne m'aurait pas fâchée.

Pauline secoua la tête :

— Non, c'est bien comme ça.

Un silence pesant les enveloppa. Une bande d'élèves de quatrième tout excitées par la soirée s'installa sur les deux premières rangées de sièges. Après avoir jeté un regard intrigué vers les quatre filles, elles reprirent leur conversation.

Tandis que le minibus suivait la route sombre et sinueuse à travers la campagne, Margaux se contenta de regarder par la fenêtre en essayant de ne penser à rien.

27

Margaux fut réveillée par des gloussements. Son corps lui semblait pesant et chaud, comme à chaque fois qu'elle dormait trop longtemps.

« L'infirmière avait raison quand elle disait que je n'étais pas encore vraiment rétablie. Cette sale grippe m'a fichue par terre. Je dois avoir beaucoup de sommeil à rattraper pour dormir autant ! »

Elle plissa les yeux sous le soleil aveuglant qui entrait par la grande fenêtre de la pièce. Elle aperçut Audrey près de son lit avec Patty, toutes les deux sur leur trente et un : elles revenaient d'un brunch avec la mère de Patty. Pauline n'était pas là, mais son lit était soigneusement fait, son ours en peluche avait retrouvé sa place sur l'oreiller.

Quelle heure pouvait-il être ? Margaux tourna la tête et vit à son réveil qu'il était midi passé. « Vive le dimanche matin ! » songea-t-elle avec un soupir d'aise.

Étouffant un bâillement, elle se frotta les yeux et s'assit. Audrey et Patty se retournèrent vers elle.

— Tiens, ça vit encore ! lâcha sèchement Audrey, qui

retira ses ballerines et sortit ses bottes de cheval de sous son lit.

— Je n'arrive pas à croire que tu aies pu rater le brunch, ricana Patty. Tu n'as pas une sorte d'instinct animal qui te prévient quand tu manques une occasion de manger ?

— N'importe quoi !

Margaux étouffa un autre bâillement et s'assit sur son lit. Il faisait froid dans la chambre. Vite, elle attrapa son pantalon de survêtement qui traînait par terre et l'enfila sous sa chemise de nuit avant de se lever et de mettre ses chaussons.

Patty chuchota quelque chose à l'oreille d'Audrey, mais Margaux était trop ensommeillée pour s'en soucier. Espérant qu'une bonne douche la réveillerait, elle prit dans son placard une serviette propre.

— Bonne nouvelle ! lui lança Patty. Ma mère a enfin pu me raconter son entretien avec Mme Starling. Il est grand temps qu'on opère de sérieux changements dans notre programme d'équitation. Et n'aie pas de regret pour le brunch, tu n'en aurais pas profité. Tu aurais sans doute préféré aller aider ta tante à faire ses paquets. Quand je suis passée devant chez elle, son camion semblait prêt à partir.

À ces mots, le brouillard qui enveloppait le cerveau de Margaux se dissipa d'un coup.

— Quoi ? Qu'est-ce que tu racontes ?

Patty plissa les lèvres et lança un sourire amusé à Audrey.

— Tu n'es pas au courant ? demanda-t-elle d'un ton innocent. Ta tante a passé la matinée à plier bagages. Je viens juste d'aller à l'écurie porter un message à la directrice, qui était là, elle aussi, bien sûr, et...

Margaux en avait assez entendu. Que se passait-il ? Sa tante aurait-elle pris les devants et donné sa démission pour ne pas subir l'humiliation d'un renvoi ?

— Non, c'est impossible... Il faut que j'y aille tout de suite !

— Tu exagères, Patty ! protesta Audrey en finissant de lacer ses bottes. Écoute, Margaux...

— Non, j'ai autre chose à faire que de vous regarder jubiler ! s'écria Margaux.

Elle récupéra son pull à capuche dans sa corbeille de linge sale et l'enfila par-dessus sa chemise de nuit. Puis elle envoya balader ses chaussons et glissa ses pieds nus dans une paire de mocassins abandonnés près de son lit.

— Mais, Margaux, insista Audrey, écoute-moi, voyons...

— Laisse tomber, Audrey, la coupa Patty. Ce que tu as à lui dire ne l'intéresse pas !

Jetant un dernier regard au visage triomphant de Patty, Margaux attrapa sa pétition sur son bureau, puis la veste d'équitation de Pauline accrochée derrière la porte et fonça dans le couloir. Il y aurait sans doute quelques personnes contentes de voir Annie Carmichael quitter Chestnut Hill, mais Margaux était bien décidée à tout faire pour l'en empêcher.

— Hé, attends, Margaux ! cria Audrey.

Margaux l'ignora.

« Si je montre la pétition à Tante Annie, pensa-t-elle fébrilement en descendant les marches quatre à quatre, peut-être que j'arriverai à la convaincre de se battre pour garder son job. Même si cette pétition n'a aucun effet sur la décision de Mme Starling, elle donnera à Tante Annie l'envie de s'accrocher. »

Elle traversa le hall en trombe sans faire attention aux regards étonnés de ses camarades de dortoir qui fixaient sa chemise de nuit rayée dépassant de sa veste. Paula Cook, une élève de terminale, l'appela alors qu'elle passait devant elle, mais Margaux était trop pressée pour ralentir ou même lui répondre.

Une fois dehors, elle courut aussi vite qu'elle put vers l'écurie, sa pétition à la main.

« Pourquoi a-t-il fallu que je choisisse ce matin pour ne pas me réveiller ? » se lamenta-t-elle en contournant un van que quelqu'un avait abandonné en plein milieu de l'allée.

Elle s'arrêta pour examiner les alentours. Deux poneys somnolaient au soleil dans l'un des paddocks attenants aux bâtiments, mais toutes les carrières extérieures étaient vides. Elle ne voyait aucune trace de sa tante ni de la directrice. Elle entra dans l'écurie, où elle aperçut Julie, qui balayait l'allée.

— Où est Tante… euh… Mme Carmichael ? demanda-t-elle d'une voix qui se voulait normale.

Julie leva la tête :

— Elle a dû déjà partir. Ça fait un moment que je ne l'ai plus vue.

Margaux sentit son cœur s'arrêter. C'était donc vrai !

Elle ressortit de l'écurie et constata que le van de sa tante se trouvait toujours là. Ouf ! Tout n'était pas perdu !

Elle s'élança vers son bureau, situé dans l'autre écurie.

Quand elle arriva dans la cour, plusieurs chevaux passèrent la tête au-dessus de leurs portillons. Elle reconnut le cheval gris de sa tante.

— Quince ! Tu es encore là !

Ça ne voulait rien dire. Même si Annie avait décidé de donner sa démission et de partir immédiatement, elle avait sans doute demandé à laisser ses deux chevaux à Chestnut Hill, le temps d'organiser leur transport.

Margaux poussa la porte du bureau. Il était plongé dans l'obscurité et vide.

Elle crispa les doigts sur le papier qu'elle tenait à la main. « Comment ai-je pu laisser passer tant d'occasions de faire signer cette pétition ? Mais cela aurait-il suffi à changer la situation ? »

— Madame Starling ! s'écria-t-elle.

Si sa tante ne se trouvait pas dans l'écurie, peut-être était-elle allée au bureau de la directrice pour lui remettre officiellement sa démission. Il était peut-être encore temps de l'arrêter !

Margaux contourna les bâtiments pour rejoindre l'allée qui menait vers la vieille demeure coloniale. Un bruit de voix la stoppa net dans son élan. Elle courut vers l'arrière des écuries et aperçut sa tante avec Flore Chapelin dans un des paddocks individuels. Mischief Maker était attaché à la clôture, la tête baissée, les yeux mi-clos, pendant que les deux cavalières lui examinaient les pieds.

— Tante Annie ! s'écria Margaux en se précipitant vers elle. Dieu merci, je n'arrive pas trop tard !

Sa tante leva la tête en souriant.

— Oh, bonjour, Margaux, répondit-elle d'une voix détendue.

Elle fronça les sourcils à la vue de la chemise de nuit qui dépassait de la veste de sa nièce.

— Tu vas être contente : Mischief va beaucoup mieux. Son pied ne lui fait plus mal du tout, ajouta-t-elle en donnant une petite tape sur l'épaule du hongre bai.

Flore hocha la tête, les yeux brillants de soulagement.

— Je préfère quand même lui épargner les deux prochains concours, au cas où ? dit-elle à Mme Carmichael.

Margaux ne put se contenir plus longtemps.

— Tante Annie, pourrait-on aller discuter dans ton bureau de toute urgence ?

L'air surpris, sa tante acquiesça quand même avec un sourire.

— Bien sûr. Flore, je suis entièrement d'accord avec toi, mieux vaut être prudent. Si tu veux bien, on reparlera plus tard de la façon dont tu peux le remettre progressivement au travail.

Sur ce, elle se dirigea vers le bureau, suivie de Margaux.

— Alors, demanda-t-elle une fois à l'intérieur, que se passe-t-il ? Ce doit être grave pour que tu débarques ici dans cette tenue ! J'espère que tu n'as croisé personne, sinon ta réputation est fichue…

Son humour n'arracha pas l'ombre d'un sourire à Margaux. Elle prit une profonde inspiration et lui tendit la pétition :

— Oui, c'est grave. Je suis venue te donner ça.

Annie prit la feuille.

— « Nous soussignées, élèves de Chestnut Hill, pensons

que Mme Annie Carmichael dirige l'école d'équitation à la perfection... » commença-t-elle à lire avant de froncer les sourcils. Oh, Margaux, tu n'avais pas besoin de faire ça ! s'exclama-t-elle en la serrant brusquement dans ses bras.

— Mais... pourquoi tu m'embrasses ?

— Pour te remercier d'être une nièce aussi loyale et une cavalière aussi appliquée ! Ton geste me touche beaucoup, ma chérie !

L'esprit de Margaux galopait. Elle se demanda si elle ne rêvait pas. Elle ne s'attendait pas du tout à cette réaction de la part de sa tante. Comment pouvait-elle garder un calme pareil alors que sa carrière était remise en cause ?

— Mais tu ne comprends pas ? J'ai fait cette pétition pour contrer celle que Claire Houlder et ses amies ont fait circuler !

Sa tante leva la main pour l'arrêter :

— Je suis au courant. Claire et Chloé l'ont déposée au bureau de la directrice hier après-midi.

— Oh !

Margaux comprenait soudain pourquoi les trois C paraissaient si joyeuses à la soirée de la veille.

— Mme Starling est venue me voir ce matin pour me mettre au courant. Elle voulait que je sache qu'il y avait de la dissension dans les rangs, même si à peine une vingtaine d'élèves ont signé la pétition de Claire.

— C'est tout ? Moi, j'ai recueilli plus de cent signatures, regarde !

— Ça n'a pas d'importance, et je préfère ne pas savoir qui a signé ou pas. Je sais déjà qui sont les meneuses, et j'aurai une petite conversation avec elles sur le sujet qui les inquiète.

— S'il n'y avait que ça ! Claire et sa clique…

— Tu veux parler de leur cinéma, l'autre jour ? Je ne suis pas aussi naïve que tu le crois, Margaux. Je me suis aperçue de leur petit jeu. Certes, l'exercice était un peu plus difficile que d'habitude, mais depuis quand Kingfisher et Hardy ont-ils tant de mal à réguler leur foulée ? C'est décourageant de voir ses élèves jouer une telle comédie ; j'espère cependant qu'elles finiront par me respecter. Ce sont elles qui ont un problème, pas moi.

Margaux la fixait, bouche bée.

— Quoi ? Ça aussi, tu le savais ? Et ça ne t'inquiétait pas qu'elles complotent dans ton dos ?

— Pas vraiment. Je fais le travail que Mme Starling attend de moi, et elle est satisfaite de mes résultats. Or la seule qui soit habilitée à choisir le personnel, c'est elle, pas une poignée de contestataires ! ajouta Annie avec un sourire.

— Alors, pourquoi Mme Mitchell est-elle venue la voir ? Ça ne t'a pas intriguée ? Tout le monde a cru qu'elle allait reprendre son poste !

— Non, elles préparent une série de rencontres animées par des cavaliers de l'équipe nationale des États-Unis afin de développer les programmes d'entraînement au concours complet de Chestnut Hill et d'Allbrights.

— Waouh ! Ça a l'air super ! s'exclama Margaux, un peu abasourdie par ces révélations. Mais attends ! Pourquoi tu étais si tendue pendant les cours, ces temps-ci ? J'ai cru que tu voulais prouver que tu pouvais être aussi sévère que Mme Mitchell.

— Pas du tout ! Allons, Margaux, tu aurais dû comprendre ! Qu'est-ce que je vous demande à chaque cours ?

— Euh… de descendre les talons ?

— Non, je vous demande de faire preuve d'esprit d'équipe. Au dernier concours, j'ai été déçue, non pas par vos résultats, mais parce que j'ai entendu beaucoup de « je » et très peu de « nous ». Un des principes que j'espérais vous avoir inculqués, c'est combien il est important de chercher ensemble à résoudre vos problèmes individuels. Je pensais que, si je vous poussais davantage en cours, vous présenteriez un front uni et que vous découvririez ce sens de la camaraderie.

— Oh, je commence à saisir…

— Ça, je n'en doute pas. Tes amies et toi faites déjà preuve d'un bel esprit d'équipe, en règle générale. Et je suis fière de vous. J'espère seulement que votre attitude déteindra sur certaines élèves de Chestnut Hill. Je suis désolée que tu te sois fait tant de souci, ma chérie, ajouta-t-elle en serrant de nouveau sa nièce contre elle. Et je te remercie d'avoir fait tous ces efforts pour que je conserve mon poste, même si la situation était moins désespérée qu'il ne paraissait. J'adore Chestnut Hill et j'ai bien l'intention d'y rester. Je ne me verrais pas travailler ailleurs.

Cette déclaration ravit Margaux ; une dernière chose la tracassait toutefois. Elle s'éclaircit la gorge.

— Beaucoup de filles pensent qu'on aurait dû mieux s'en sortir à ce concours. Et que c'était injuste qu'il ait lieu juste après notre retour de vacances, surtout avec ce nouvel obstacle...

— Oui, j'avoue que ça tombait mal. Mais les chevaux étaient parfaitement entraînés et tout se serait bien passé si les cavalières ne s'étaient pas monté la tête. Toutes celles qui sont entrées sur la piste en se sentant désavantagées partaient perdantes. Et celles qui craignaient que leur cheval ne puisse franchir le mur l'ont en réalité poussé à la dérobade ou au refus. Ne t'inquiète pas, ajouta-t-elle en secouant la tête, nous allons travailler sur ces problèmes jusqu'à la fin de l'année.

Margaux réfléchit à ce que sa tante venait de dire. Elle n'avait pas tort. Après tout, Laurie et quelques autres s'en étaient bien sorties. Et dès qu'elle-même s'était raisonnée pour ce satané mur, Morello l'avait sauté sans mal.

— Quoi qu'il en soit, ce concours servira de leçon. L'esprit d'équipe ne doit pas se limiter à la pratique de l'équitation proprement dite. Vous devez faire preuve de loyauté à l'égard de vos coéquipières et de solidarité entre vous, en cas d'échec comme en cas de réussite.

Margaux pensa subitement à Claire Houlder. « Je comprends pourquoi Tante Annie n'a pas voulu d'elle après ses médisances sur Carole. »

— Je vois ce que tu veux dire.

— Parfait. Y a-t-il autre chose ? J'allais partir...

— Oui, justement, reprit Margaux en se souvenant que c'était la nouvelle de ce départ qui avait déclenché sa panique. Où vas-tu un dimanche matin ? Patty m'a dit que tu remplissais ton camion, et Julie a prétendu que tu étais déjà partie... J'ai failli avoir une attaque !

Sa tante rit de bon cœur.

— Oh, Margaux ! Cette école est un vrai nid de commères ! Eh bien, je dois aller voir des chevaux dans un élevage de la région. Rassure-toi, ajouta-t-elle avec un clin d'œil, je serai de retour en milieu d'après-midi. Le chef de travaux du country doit passer à quatre heures.

— C'est vrai ? Alors, le chantier...

— Oui, il va reprendre ! Ils ont embauché de la main-d'œuvre supplémentaire pour continuer les travaux.

— Génial ! J'ai hâte d'annoncer la nouvelle aux autres ! Elles ne vont pas le croire !

Margaux dit au revoir à sa tante et se précipita dehors. À peine sortie dans la cour, elle prit conscience de la splendeur de cette journée presque printanière... et aussi de sa tenue, plutôt négligée. Elle s'empressa de remonter sa chemise de nuit sous la veste de Pauline. Seulement, avec ses cheveux en bataille, elle aurait du mal à cacher qu'elle venait de tomber du lit. Pour une fois, elle se réjouit que Chestnut Hill ne soit pas mixte...

Des éclats de rire lui parvinrent de la grande écurie. Se demandant si ses amies ne seraient pas arrivées pendant sa conversation avec sa tante, elle décida d'aller y jeter un coup d'œil.

Quand elle entra dans le bâtiment, elle ne vit aucune trace de ses copines ; en revanche, elle aperçut Audrey dans le box de Bluegrass. Elle ne put résister à l'envie de l'affronter :

— Figure-toi que ma tante vient de me donner des nouvelles bien tristes pour toi !

Audrey la toisa, l'air mi-amusé, mi-méprisant.

— Quoi ? Elle a fait passer un nouveau règlement interdisant le port des chaussettes aux cavalières ?

Margaux baissa les yeux vers ses pieds nus, dans ses chaussures.

— Non, répondit-elle sans prendre la peine de relever cette pique. Elle m'a annoncé qu'elle restait à Chestnut Hill. La petite pétition stupide de Claire n'a servi à rien !

— Et ça t'étonne ? fit Audrey en haussant un sourcil. Tu dois vraiment être givrée pour oser sortir dans cette tenue ! En tout cas, je ne sais pas comment vous avez pu imaginer, l'une comme l'autre, avoir votre mot à dire sur le choix des professeurs de Chestnut Hill.

— Alors, pourquoi tu as signé sa pétition contre Mme Carmichael ?

— Oh, je t'en prie ! Presque personne n'a signé cette ânerie, et surtout pas moi. Quand Colette est revenue à la charge, hier, c'est tout juste si elle avait récolté une vingtaine de signatures. Et c'était, pour la plupart, celles des filles qui ne font même pas d'équitation ! Pour autant que je sache, personne de l'équipe senior ne l'a signée.

— C'est vrai ?

Le moral de Margaux, déjà au beau fixe après la conversation avec sa tante, s'améliora encore. Pour une fois, l'expression hautaine d'Audrey ne l'énerva même pas. Enfin... pas trop.

— Peu importe, reprit celle-ci. J'aurais été stupide de la signer alors que je n'ai jamais eu directement affaire à Mme Mitchell. Ce sont mes deux sœurs aînées qui l'ont eue comme prof, et il paraît qu'elle disait toujours qu'on jugeait un cavalier sur ses derniers résultats en concours.

Si Mme Carmichael avait pensé comme elle, Bluegrass et moi, on ne ferait plus partie de l'équipe à présent.

Margaux en resta sans voix. Audrey se retourna vers le box de son poney.

— À propos, lança-t-elle par-dessus son épaule, tout à l'heure j'ai essayé de te dire que Patty te faisait marcher. Mais tu étais tellement pressée de montrer ta tenue à tout le campus que tu n'as même pas voulu m'écouter.

Margaux, qui se souvenait parfaitement qu'Audrey avait tenté de la retenir, rougit d'être tombée si facilement dans le piège de Patty.

— Bon… ben… à plus tard, marmonna-t-elle.

— Margaux ! Te voilà enfin ! cria Mélanie, qui venait d'entrer dans l'écurie en compagnie de Pauline et Laurie. On a cru que tu avais été enlevée par des extraterrestres.

— Nous allions partir en promenade, dit Pauline. Mme Carmichael nous a déjà donné son autorisation et on t'a cherchée partout ! On ne voulait pas s'en aller sans toi.

— C'est gentil, fit Margaux. Mais, avant, j'ai de grandes nouvelles à vous annoncer. Pour commencer, il n'a jamais été question que ma tante s'en aille !

— C'est génial ! s'exclama Mélanie quand elle leur eut rapporté sa conversation avec Annie. Après la soirée d'hier, j'étais vraiment inquiète. Je m'en voulais de ne pas t'avoir crue, Margaux.

— Moi aussi, murmura Pauline. Qu'est-ce que je suis contente !

— Et tant pis si ça n'est pas du goût de Claire et de sa clique ! Le reste de l'école sait qu'Annie Carmichael est la meilleure !

— C'est vrai qu'elle est super comme prof ! acquiesça Laurie. Elle veut qu'on se surpasse. Et jamais une autre directrice n'aurait laissé sa chance à un poney comme Tybalt.

— Ni accepté de garder Minnie le temps qu'elle se rétablisse, enchérit Pauline. Ni permis que je sois la première à la monter à sa reprise des cours.

— En plus, elle est toujours sympa et souriante, ce qui ne l'empêche pas de se montrer sévère et exigeante, enchaîna Laurie. Du coup, tout le monde s'applique pour lui faire plaisir.

— Tout le monde, sauf les trois C. Et sauf Margaux, plaisanta Mélanie. La seule chose qui l'intéresse, c'est de battre les autres en concours !

Margaux lui tira la langue :

— Très drôle ! Dites donc, les filles, vous n'aviez pas parlé d'une promenade ? Si on passait par le parcours du futur cross ? Oh, j'ai oublié de vous le dire… Les travaux vont reprendre !

— Ça alors ! Il n'y a que des bonnes nouvelles aujourd'hui ! se réjouit Pauline. Allez, on y va !

— J'arrive !

Margaux envisagea un bref instant de remonter au dortoir enfiler en vitesse une tenue d'équitation. Elle abandonna aussitôt cette idée : il y avait toujours quelques casques et quelques paires de vieilles bottines dans la sellerie pour les cavalières débutantes ; elle en trouverait bien une à sa taille. Elle avait déjà monté en survêtement ; quant à la chemise de nuit, ce serait par contre une première…

— Tous les poneys sont là ? voulut-elle savoir.

— Oui, répondit Pauline. Mme Carmichael a dit que je pouvais prendre Minnie. Il paraît qu'elle est géniale en balade.

Pendant que ses amies disparaissaient dans la sellerie, Margaux s'arrêta devant le box de Morello. Le poney vint renifler ses poches pour quémander une friandise.

Elle le repoussa en riant.

— Je n'ai même pas eu le temps de m'habiller correctement, alors tu n'imagines tout de même pas que je t'ai apporté quelque chose ?

Comme il frottait avec insistance ses naseaux contre la poche de sa veste, elle plongea la main à l'intérieur et découvrit deux bonbons à la menthe.

— Décidément, Pauline pense à tout ! gloussa-t-elle en les lui donnant.

— Dépêche-toi, Walsh ! lança Mélanie d'un ton autoritaire. On a du pain sur la planche !

— Oui, cap'taine ! répondit-elle en se précipitant vers la sellerie.

Elle y trouva Laurie, qui changeait l'anneau en caoutchouc de l'un des étriers de sécurité de Tybalt, et se rendit compte qu'elles n'avaient pas eu l'occasion de se parler depuis la soirée.

— Alors, comment tu vas ? demanda-t-elle.

— Ça va, répondit Laurie.

Margaux scruta son visage. Préoccupée par les problèmes imaginaires de sa tante, elle n'avait pas du tout pensé à la déception vécue par son amie.

— C'est vrai ? Tu as eu des nouvelles de Caleb depuis que... enfin... depuis hier ?

Laurie se mordilla la lèvre et baissa les yeux vers la selle :

— Non. Et c'est peut-être mieux comme ça.

— Pourquoi tu dis ça ?

— Tu l'as entendu, non ? Pour lui, la seule chose qui importe, c'est de gagner, alors que pour moi c'est tout le contraire. Regarde-nous aujourd'hui. On est heureuses comme si on venait de remporter une médaille d'or aux Jeux olympiques, et pourtant il n'y a aucun trophée en vue !

— En fait, si…, la taquina Margaux avec un geste vers la vitrine qu'on apercevait dans l'allée.

— Arrête, tu as très bien compris ce que je voulais dire !

— Comment peux-tu rester aussi sereine après ce qui s'est passé ?

Laurie soupira et gratta une tache de boue sur la selle.

— Oh, j'ai eu le temps de réfléchir. Je veux être sûre de bien connaître Caleb avant d'aller plus loin. Les surprises, très peu pour moi !

— Oh, je vois…, fit Margaux, qui ne savait pas comment interpréter cette réponse.

Un dernier poids lui écrasait le cœur, et elle devait s'en débarrasser.

— Tu sais, Laurie, je voulais te présenter mes excuses. Je… je suis désolée d'avoir douté de ta loyauté, la semaine dernière, quand je t'ai accusée d'avoir pris parti contre ma tante et d'être devenue la meilleure amie d'Audrey. J'étais folle de dire des horreurs pareilles.

Laurie parut hésiter et, soudain, elle éclata de rire.

— Ouais ! Tu es complètement barjo, mais c'est pour ça qu'on t'aime…

Esprit d'équipe

— Eh oui ! Tout le monde le dit : j'ai une sacrée chance d'avoir une amie aussi raisonnable pour compenser !

— Absolument ! l'approuva Laurie en se levant, la selle calée contre sa hanche. Il faut dire qu'on forme une sacrée équipe !

Tome 6 de la série

Chestnut Hill

à paraître en août 2010

Cet ouvrage a été imprimé en France par

à Saint-Amand-Montrond (Cher)
en mars 2010

Cet ouvrage a été composé par
PCA - 44400 REZÉ

POCKET
jeunesse

12, avenue d'Italie
75627 PARIS Cedex 13

— N° d'imp. 100862/1. —
Dépôt légal : avril 2010.